性的マイノリティ関係資料シリーズ1

レズビアン雑誌資料集成

解説・総目次

杉浦 郁子

出雲まろう・赤枝香奈子・清水晶子

出版

□『レズビアン雑誌資料集成』に収録した雑誌。左上から下に、資料15『声なき叫び』、資料17『瓢駒ライフ』第１・５号、資料11『Eve&Eve』第１号、資料９『ひかりぐるま』Vol.１・２、資料８『ザ・ダイク』第１号、資料４『女たちのエイズ問題』、資料５『第一回ALN会議報告集』の各号表紙。どの雑誌も「レズビアン」としての自身を表現する、知的で挑戦的な試みだった。【第５－７巻収録】

□資料1・2『れ組通信』は、スライド「日本のレズビアンたち」製作を志して集まった5名による「れ組のごまめ」が創刊した。1985年5月に発行を開始し、その後、日本ではじめてとなるレズビアンのための事務所「れ組スタジオ・東京」が結成され、その発行が引き継がれた。本集成では1993年6月発行の第75号までを収録した。【第1－5巻収録】

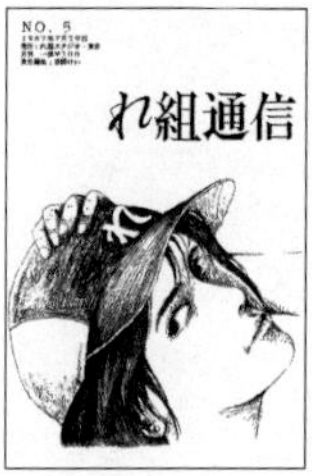

1

ポルノグラフィは
女への暴力である
（スライド解説カード）

＜お願い＞
・カードはスライドとセットにして下さい。
・カードをリングから外した場合は通し番号と枚数（37枚）を確認して戻して下さい。
・スライドは64枚です。上映時間45分
・スライドに指紋をつけぬよう御注意下さい。

ポルノグラフィは女への暴力である
ポルノは理論で強姦はその実践である

1 タイトル

私たちは、ポルノグラフィによる悪質な女のイメージ作りが女の人間としての尊厳を傷つけるものであり、女の社会的、経済的、政治的、文化的能力の開発を妨げるものであると強く感じています。

このスライドショーは、サンフランシスコを中心にした約1,500人のグループ、WAVPM（Women Against Violence in Porno & Media）のスライドをもとに、私たち　L．F．　センターのスライドグループが製作したものです。

—1—

15・16

16

っきのファッショナブルに作られた女とこの実際に乱暴された女性を比べてみて下さい。数え切れない女たちが、まだ、暴力が日常茶飯事の家の中にとじ込められています。
ポルノグラフィは、女は時々殴っておとなしくさせるべきものだ、という考えを広めることで男の暴力の度を高めています。
そしてさらに'女は痛みが好きだ'という嘘で女への暴力を正当化しています。例えばこの写真。女性がナイフで自分の性器をつき刺しほほえんでいます。「彼女が自分でやってるくらいだからきっとそう云うのが好きに違いない」と男たちに思い込ませるのです。

■写真15

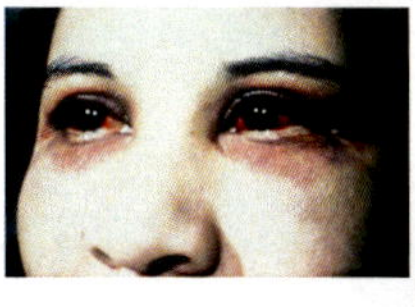

■写真16

—10—

□1980年に活動をはじめたレズビアン・フェミニスト・センター（LFセンター）は、反ポルノグラフィ運動を精力的に展開、資料14〔ポルノグラフィは女への暴力である〕のスライド上映を全国的に展開した。本集成では上映時に解説するためのカードと映写されたスライドを併せて収録した。上映にあたっては、「代表者・解説者は女性であること」「女性の参加者が必ず半数以上であること」などのルールが課されたという。【第6巻収録】

凡例

一、『レズビアン雑誌資料集成』（性的マイノリティ関係資料シリーズ1）全7巻・別冊1は、一九七〇年代後半から九〇年代前半まで、主に首都圏で展開されたレズビアンによる表現活動・社会運動の軌跡を、ミニコミ誌ほか関連論考、運動史料などと併せて集成、復刻した。本書はその別冊（解説・総目次）である。

一、収録の「刊行にあたって」（杉浦郁子）、推薦（出雲まろう、赤枝香奈子、清水晶子）は、パンフレット掲載のものを再録した。

一、『レズビアン雑誌資料集成』全7巻の資料については、「収録内容一覧」を参照されたい。

一、筆者名、表題などは、明らかな誤植、脱字など以外は原則として原本の通りとし、表記はあえて統一していない。

一、〔　〕は著者ないし編集部の補足であることを示す。

＊『レズビアン雑誌資料集成』刊行にあたっては、れ組スタジオ・東京、沢部ひとみ氏（パフスクール共同代表）に多大なご理解をいただき、資料提供をはじめとする編集協力を賜りました。織田道子氏（東京・強姦救援センター相談員）からは貴重な資料をご提供いただきました。また、お名前をあげていない数多くの方々のご理解とご協力によって刊行することができました。ここに記して、深く感謝申し上げます。

不二出版編集部

『レズビアン雑誌資料集成』解説・総目次

目次

口絵
凡例
収録内容一覧

Ⅰ 解説 ほか

女性解放をめざす、すべての女たちとの連帯を……杉浦郁子 3
『すばらしい女たち』発行のころ 覚え書き……出雲まろう 6
「女を愛する女たち」という希望……赤枝香奈子 8
途切れ途切れの歴史が立ち消えてしまう前に……清水晶子 10
『レズビアン雑誌資料集成』解説……杉浦郁子 13

Ⅱ 総目次……35

《表紙イラスト＝楽白雀》

『レズビアン雑誌資料集成』　全7巻

収録内容一覧

資料NO	誌名（発行元）／筆者名など	号数	発行年月	収録巻数
1	れ組通信（れ組のごまめ）	第1号～第22号	1985年5月～1987年3月	第1巻
2	れ組通信（れ組スタジオ・東京）	第1号～第75号	1987年3月～1993年6月	第1巻～第5巻
3	〔れ組スタジオ東京　資料〕（れ組スタジオ・東京）		1987年〔7月〕	第5巻
4	女たちのエイズ問題　わたしたちはなぜ反対したのか!!（エイズ予防法案を廃案にする女たちの会）		1989年11月	
5	第一回ALN会議報告集　はばたけ！アジアのれすびあん（ALN日本）		1991年11月	
6	『すばらしい女たち　レズビアンの女たちから全ての女たちにおくる雑誌』（「すばらしい女たち」編集グループ）	創刊号	1976年11月	第6巻
7	『すばらしい女たち別冊〈レズビアンに関するアンケート〉集計とレポート』（「すばらしい女たち」編集グループ）	―	1976年11月	
8	『ザ・ダイク』（まいにち大工）	第1号・第2号	1978年1月・6月	
9	『ひかりぐるま』（ひかりぐるま）	Vol.1（創刊特別号）・Vol.2（秋季号）	1978年4月・9月	

10	『レズビアン通信』〔麗頭美庵通信〕（シスターフッドの会）	第1号（創刊号）・第2号	1982年9月・10月	第6巻
11	『Ｅｖｅ＆Ｅｖｅ』（若草の会）	第1号（創刊号）	1982年8月	
12	織田道子「ポルノグラフィは女への暴力である」『あごら 女と情報』第25号（ＢＯＣ出版部）、１８６―１８７頁		1981年12月	
13	レズビアンフェミニスト・センター・スライドグループ「ポルノグラフィは女への暴力である／女のエネルギーを女へ！」『女・エロス』第16号（社会評論社）、5―19頁		1981年5月	
14	レズビアンフェミニスト・センター・スライドグループ〔ポルノグラフィは女への暴力である〕	＊「スライド解説カード」とリバーサルフィルム。	―	
15	『声なき叫び』（「声なき叫び」上映グループ）		1982年〔11月〕	
16	広沢有美「異性愛強制というファシズム」『新地平』第１５０号（新地平社）、34―39頁		1987年6月	第7巻
17	『瓢駒ライフ　新しい生の様式を求めて』（ひょうこま舎）	第1号～第7号	1988年5月～1992年9月	

＊『れ組通信』は1985年5月より「れ組のごまめ」が発行、87年3月からは「れ組スタジオ・東京」発行となる。

＊『レズビアン通信』は第1・2号ともに全頁を確認できず、現存頁のみの収録とした。また第1号「№4」（見開き）頁は別号の可能性もあるが、本集成では第1号とした。

I

解説　ほか

《刊行にあたって》

女性解放をめざす、すべての女たちとの連帯を

杉浦　郁子

「女を愛する女たち」の活動の軌跡は、女性運動においても、同性愛者の運動においても、埋もれやすい。前者においては異性愛の女性が、後者においては同性愛の男性が、運動のマジョリティだからである。だが、パソコン通信やインターネットが普及する以前のマイノリティの軌跡は、幸いにもミニコミ誌というメディアに残された。

この『レズビアン雑誌資料集成』に収録したミニコミ誌――自主制作された少部数出版物――は、一九七〇年代後半から九〇年代初めにかけて、「女を愛する女たち」が首都圏で発行したものである。一九七六年一一月、リブ新宿センターに出入りしていた女性たちが中心となって発行した『すばらしい女たち　レスビアンの女たちから全ての女たちにおくる雑誌』の冒頭、「雑誌の発刊にあたって」からは、その思想の特徴が確認できる。

女と男の関係が唯一の性愛関係であるとする考え方は、男中心社会が秩序維持のために必要とした幻想である。私たちの性愛感情に限界はない。

異性愛を「自然な生物学的現象」ではなく「男性優位を維持する政治的関係／社会制度」ととらえるこうした視点は、一九六〇年代後半以降に女性解放運動のうねりをつくり出したラディカル・フェミニズムの基本的視座のひとつである。文章はさらに続く。

わたしたちは女として女を愛し、それを積極的に受けとめ選び取るようになった。現在の性差別社会の中で、わたしたちが女として女を愛するのはすばらしいことである。……わたしたち女性同性愛者の存在は、女の中にある可能性であり新しい生き方への試みなのである。

女が女を愛することを「女の生き方」を拡げる実践ととらえ、その生き方をセクシズムに抵抗し得るものとして位置づける視点。それを踏まえたうえで「女から女への出会いを求め、わたしたちはこの雑誌をつくった」とまとめられることばを読むとき、この『すばらしい女たち』という小さな雑誌が、ばらばらに孤立してきた女性同性愛者同士の連帯のみならず、女性解放をめざすすべての女たちとの連帯を呼びかけるものであったことを、私たちは理解する。

本誌編集グループは創刊号の発刊をもって解散したが、その後も「レズビアン」というカテゴリーのもと、有志によって数々のミニコミ誌が発行された。それらは日々の生活のなかで秘匿せざるを得ない経験が自由に表現され、蓄積されていく場だった。

むろん、「レズビアン」といえども、家族との関係、世代、学歴、職業、住んでいる地域、国籍、障害の有無など、その経験に同じものはない。だが、一人称で綴られた個別の生の記録からは、女性の劣悪な就労環境、無償ケア労働を当然視する日本社会というもののかたちが、一様に浮かびあがってくる。「女が女を愛すること」の葛藤や価値について考えることは、女性が社会のなかで置かれる立場を考えることと切り離すことができない。

本集成は、『すばらしい女たち』のあとに制作された『ザ・ダイク』『ひかりぐるま』、一九八〇年代前半の「レズビアン・フェミニスト・センター」の関連資料、八〇年代半ばから九〇年代前半までの『れ組通信』『瓢駒ライフ』などを収録する。ミニコミ誌を通じたやりとりはつながりや場所を生み、レズビアンのアクティビズム、コミュニティ、カルチャーと呼び得るものを出現させた。その意味で、これらの資料は、確かに同性愛解放運動の記録である。だが、その意義を十分に汲みとろうとするのであれば、同時代のウーマンリブやフェミニズムの動きを念頭に置くことが欠かせない。したがって、これらのミニコミ誌は、女性運動の歴史をとらえる基礎資料でもある。

「女を愛する女たち」の思想や実践が、同性愛者のみならず、すべての女性の解放を推進する大きな力であったことを、ここで確認してほしい。

〔『レズビアン雑誌資料集成』パンフレットより再録〕

《推薦文》
『すばらしい女たち』発行のころ　覚え書き

出雲　まろう

一九七〇年代の日本では同性愛は公序良俗に反するものとされていた。強制された結婚を逃れて同性カップルが駆け落ちをすれば、家族の命を受けた私服警察が全国を探し回り、連れ戻しに犯行すれば「公務執行妨害で逮捕する」と脅されたりした。

日本初の女性同性愛者の集まり「若草の会」の広告は、どんなに大金を積んでもまじめな雑誌や出版物に載せることがかなわず、やむを得ずエロ雑誌に載せるか、女子トイレの壁に貼るしか方策がなかった。この「若草の会」の会計報告をめぐって批判した数名による「レズビアン向けアンケート集計」（当時はＬＢＴＱ＋というカテゴリーがなかったため性的マイノリティ女性をレズビアンと一括総称した）の初顔合わせ座談会こそじつは、出席者のだれにとっても大きな「違和感」だっただろう。生い立ち、背景の違いはもちろん、ノンポリもいればリブ活動家、セクシュアリティを政治的に選択した人たちもいて、座談会は最初から喧々諤々の大論争になったのだが、レズビアン（ＬＢＴＱ＋）当事者の声を伝えたいという動機は一致した。ミニコミ誌の発行である。その日から毎週末、リブ新宿センター（以下リブ・セン）に集まった有志が版下作製に従事することで座談会は終決した。

なぜリブ・センだったのか。新左翼系リブ活動家の拠点が政治的選択レズビアン以外の性的マイノリティ女性に対してフレンドリーだったわけではない。むしろつねに批判の的としてさらされる空間ですらあった。ただ当時、公序良俗に反する雑誌を印刷できたのは、リブ・センのメンバー三人による女だけの写植印刷屋「あいだ工房」を介して発注する以外に方法がほとんどなかったのである。当時はまだ手軽なコピー機もパソコンもなく、発行物はレイアウト用紙に活字を切り貼りするという版下作製作業を経た後、印刷所にもち込まれた。
刷り上がった『すばらしい女たち レスビアンの女たちから全ての女たちにおくる雑誌』は、各地のアンダーグラウンド書店やリブ系カフェへ発送する手筈になっていた。茶紙に梱包した数十個の包みを積み込み、車は深夜の甲州街道をのろのろと進んだ。大きな交差点の赤信号で止まると、急に警察官が現れ、路肩に車を寄せるよう合図して、「トランクを開けろ」と無言で指示してきた。リブ活動家の運転するその車はつねに警察にマークされており、交差点ごとに止めて調べられるということを、同乗する車のなかでそのとき初めて聞き知った。警察官の心情ひとつで小包の押収や逮捕となる不穏さも孕んでいたのだが、警察官は車を運転していたひとり（後に『れ組通信』責任編集者となる）に対してだけ、しつこく調書を取りはじめた。そのすきに、平静を装って同乗の三人（後の『ザ・ダイク』発行メンバー）でタクシーを呼び止め、数十個の小包をトランクへ移し代えて、かろうじて没収の危うさは免れたのだった。
クィアをめぐる生きづらさのなかで、力尽きてしまう前に声をあげること。ミニコミ誌発行のもつ意味とは、シスヘテロ家父長社会の変革を希求するＬＢＴＱ＋の「違い」を超えた「共闘と可視化」の試みだった。あれから約半世紀の歳月を経て、消滅の危機にさらされているこれら資料の復刻が、一部の理想化や歴史修正主義に加担することなく、蔓延するヘイトスピーチ社会を生きる次世代への示唆になれば、と願います。

（いずも まろう・編集者／クィア・シネマ批評）

〔『レズビアン雑誌資料集成』パンフレットより再録〕

《推薦文》

「女を愛する女たち」という希望

赤枝　香奈子

この『レズビアン雑誌資料集成』に収められているのは、「レズビアン」や「女性同性愛者」という、当時としては決して肯定的なものではなく、また受け入れやすくはない「名づけ」を引き受けた女性たち、あるいはその「名づけ」に希望や可能性を見い出し、アイデンティティとしていった女性たちの思考と格闘の軌跡である。

女を愛する女たちはそれまでもいた。愛し合う者同士、ともに暮らす女たちもいた。しかし、自分たちに押しつけられた、あるいはみずから引き受けたこうした「名づけ」と真正面から向き合い、その意味について深く考え、悩み、試行錯誤しながら、生の可能性を広げようとした女性たちはいなかったのではないだろうか。

異性を愛し、異性と結婚し、その相手の子どもを産むことが当然視されている社会で、同性を愛し、同性と親密な絆をつくって生きていこうとすることは、新たな生活様式を生み出すことにほかならない。誰もいない荒野に放り出され、木を伐り、土を耕すところからはじめるような気の遠くなる作業であるが、幸いなことにそこには仲間たちと、直接会ったことはないが過去にたしかに存在していた先輩たちの記憶があった。そして何より、異性の顔色をうかがうことなく、自分の欲望や理想に従い、みずからの人生をつくりあげていく自由や喜びがあった。

もちろん、過度な美化や理想化は危険だ。なぜなら、女を愛する女たちもこの社会の一員である以上、その規範や制度の制約から、簡単に逃れられるわけではないからである。自分自身にも染みついたジェンダーやセクシュアリティの規範、なかなか変わらない社会への憤りや絶望、思い描いた通りにはいかなかった人間関係などに疲れ果て、去って行った女性たちも少なからずいたであろう。ここに収められた資料は、そのような女を愛する女たちの、挫折や失望も含めた経験まるごとを知るための、重要な手がかりとなるものである。

日本にまだ女を愛する女たちの専門的な雑誌がなかった時代、『すばらしい女たち』や『れ組通信』などのミニコミ誌に掲載された内容は多岐にわたった。さまざまなエッセイや論考、小説や漫画などの創作、座談会、訪問記やインタビュー、アンケートの調査結果、海外の論文翻訳、小説や映画などの紹介、イベントやお店の案内、読者からの手紙など、女を愛する女たちにかかわるあらゆる情報が、一部一部は薄い冊子のなかにぎゅっと詰め込まれている。そこには、物事に向き合う真摯さと同時に、友人同士がおしゃべりしているときのような軽やかさやユーモア、茶目っ気までも感じられる。

日本の「レズビアン」運動をその最初期からたどることで、わたしたちは女を愛する女たちが何を獲得し、彼女たちを取り巻く環境がどこまで変わったのかを知ることができる。そしてこの先に続く世代へと、その記憶を引き継いでいくことができる。彼女たちの実験精神、喜怒哀楽、饒舌さ、大胆さ、慎重さ、思慮深さに触れることによって、わたしたちは女性がもつ力と可能性にあらためて勇気づけられると同時に、自分がまだ人生を十分に生き切ってはいないのではないか、わたしたちの人生にはもっと豊かな可能性があるのではないかとの思いも抱かされるのだ。

（あかえだ かなこ・追手門学院大学社会学部教授）

〔『レズビアン雑誌資料集成』パンフレットより再録〕

《推薦文》
途切れ途切れの歴史が立ち消えてしまう前に

清水　晶子

私たちは私たちの歴史をよく知らない。

その自覚は気もちの裏にこびりつくようにして、ずっとあった。けれども、初期のクィア理論の文献を読んで研究者として育った世代のクィア・フェミニストだった一九九〇年代の私は、正直なところ、「私たちの歴史」にあまり興味をもてずにいた。そもそも、「私たち」を所与のものとする歴史の重力に抗うのがクィアであるかのように、表面的にはみえていた当時、「私たちの歴史」に注意を向ける重要性を十分に理解するのは、私には難しかったかもしれない。

けれどももちろん実際には、クィア理論はそれを要請するに至る「私たちの歴史」を踏まえてはじめて成立し、理解され、そして何より力をもつものだった。例えば、ラディカル・フェミニストたちによる性と権力とに関する議論。ブラックやラティンクス（ラテン系住民）、そして労働者階級を中心とするレズビアン・バーで育まれたブッチ／フェムのレズビアン・ジェンダー。SMダイクの実践やドラァグ・コミュニティを背景とするジェンダー攪乱への考察。レズビアン分離主義。ブラック・レズビアンたちによる性差別と人種主義、異性愛主義の交差性への指摘。そしてHIV／AIDSの流行と社会的パニック、それに対抗するアクティヴィズム。抽象的な批評理論の用語を散りばめた初期のクィア理論は、そのすべてと関わっていた。

「私たちの歴史」とクィア理論との連続性に気がつくことは、現在の私たちがジェンダーとセクシュアリティの文化と政治とにコミットするにあたって、「私たちの歴史」そのものがいかに重要な資源となり得るか、それを認識することでもあり、また同時にその資源へのアクセスの難しさを痛感することでもあった。大量の資料が保存され共有され、繰り返し分析され、批判されたりインスピレーションの源になったりしてきた英語圏に比べると、日本語圏での「私たちの歴史」の資料は、個人や団体にバラバラに散らばっており、入手はおろかその存在の確認さえも難しいことも多いし、口頭で直接教わってはじめて知ったり理解できたりする事も少なくない。

「私たちの歴史」はだから、途切れ途切れで、裏づけを欠いた噂話のようだったり、あいだを埋めるピースが見あたらないままのパズルのようだったりする。それは、「私たち」の書くものや言うことを軽視してきた文化のせいでも勿論あるし、そのような敵対的な文化を前にして、「私たち」相互の批判だの、信条や見解の相違だのまで含む赤裸々な資料を「外」に出すまいとする、「私たち」の側の戦略でもあったかもしれない。

いずれにせよ私たちは、「私たちの歴史」をよく知らない。現在、私たちが直面しているのと同じ政治的な議論や文化的な課題を、私たちよりほんの少し前の「私たち」が同じように議論し思考し、何らかの対応策や解決を見い出していたとしても、しばしば私たちはそのことを知らないままに、手探りでゼロから出発することを余儀なくされている。「私たち」の思考を豊かにするはずの水脈に、私たちはうまく根をおろせていないのだ。

このたび刊行される『レズビアン雑誌資料集成』は、その途切れ途切れの歴史を散逸させない試みの、重要な一歩である。もちろん私たちの歴史はここからはじまるわけでも、ここで終わるわけでもない。今回は収録できなかった「私たちの歴史」も、もちろんあるだろう。それでも、ここにあるのは貴重な資源への最初の確かなアクセスである。私たちはそこから「私たちの歴史」を踏まえて——その「私たち」にはもともと誰が含まれ、それについてどのような議論があったのかを含めて——現在を考え、そして生きぬく可能性を受け取るのである。私たちは、私たちの歴史を知らなくてはならない。この資料集成がそれを容易にする力強い補助となってくれることを、確信している。

（しみず あきこ・東京大学大学院教授）

〔『レズビアン雑誌資料集成』パンフレットより再録〕

『レズビアン雑誌資料集成』解説

杉浦　郁子

はじめに

『レズビアン雑誌資料集成』に収められた資料は、一九七〇年代後半から九〇年代初めにかけて、「レズビアン」というカテゴリーのもとに集った人びとが首都圏で発行したものである。「ミニコミ誌」と呼ばれる自主制作された少部数出版物を中心に収録しており、いずれも日本のレズビアン解放運動のありようを知ることができる基礎資料である。本稿では、諸資料が登場した経緯やその概要を解説する。

1　ミニコミ誌　――抵抗、表現、交流のためのツール――

ミニコミ誌は、マイノリティの抵抗の手段として使われてきたという歴史をもつ。マイノリティは、自らの存在やその困難を可視化するためにミニコミ誌を制作、頒布し、それを通して社会運動をつくり、維持してきた（村上二〇二一）。本集成に収められたミニコミ誌は、「レズビアン」「レズビアン」の解放や社会的承認をめざす「アイデンティティ・ポリティクス」が展開されたメディアである。「レズビアン」「女を愛する女」とは何者なのかを自分たちで考え、その価値を見いだすことにより、肯定的なレズビアン・アイデンティティを創造しようとする営みが、どの媒体にも刻まれている。

ミニコミ誌は、政治的な主張だけでなく、自由な表現活動がなされる場でもあった。その内容は、エッセイ、手記、ルポ、翻訳、創作（小説、詩、漫画、イラストなど）、文化批評、情報（スペース、イベント、映画、本、国内外の動向など）、読者投稿欄と多岐にわたる。読者アンケートを実施し、その結果を詳細に報告することで自分たちの経験を共有する特集もよく見られた。

さらに、インターネットや携帯電話がない時代において、ミニコミ誌は仲間とつながるための重要なツールであった。誌面では、座談会や読書会、映画鑑賞会、パーティ、合宿、小旅行などへの参加が頻繁に呼びかけられており、読者や編集スタッフが集う機会が創出されていた。ミニコミ誌は、集団形成やネットワーク構築のためのハブとして機能していたのである。

2　時代背景

(1)「レズビアン」という概念

本集成のタイトルにある「レズビアン」という言葉は、日本では一九六〇年代に一般に知られるようになり、以降、自己や他者を認識したり表現したりするために利用可能な言語資源であり続けている。「レズビアン」は「女性を愛する女性」を指す「ことば」である。では、「女性」とは誰を、何を意味するのだろうか。

かつては、個人の「性」を生殖器にもとづいて二元的に把握することが一般的であった。生まれたときに外性器の外観から「女児」と判断され、戸籍に「長女」「次女」などとして登録された者が「女性」であった。しかし、身体や戸籍の性別とは別に「性自認」（gender identity）という水準があり、これを個人の性別として尊重すべきとする考えが影響力をもつようになった一九九〇年代中頃、「レズビアンとは性自認における同性（same-gender）に惹かれる女性である」という理解がレズビアン・コミュニティに定着した（杉浦 二〇一九）。

本集成が収録するのは一九九〇年代前半までの資料である。したがって、資料における「レズビアン」とは、性自認ではなく、「身体の性別における同性（same-sex）に惹かれる女性」を指していたと考えて、ほぼよい。そのなかには、男性のようにふるまう女性、男性にしか見えない女性など、当時は「オナベ」と呼ばれ、現在であれば「トランスジェンダー男性」というアイデンティティを獲得し得る人びとがふくまれていた。そのような「男役の女性」が、明確な男らしさをまとわない「女役の女性」とつき合うというのが、レズビアンのイメージの一つだった。

一九六〇年代に一般大衆向けの雑誌に掲載された関連記事をみると、「レズビアン」というカテゴリーのもとで、歌劇の男役とその女性ファン、男装のバーテンダーとバーに集まる女性が取りあげられている。「レズビアンには男役と女役がいる」というわかりやすいステレオタイプにもとづいた記事である。また、一九七〇年代、八〇年代の一般雑誌では、オナベでない女性同士による「過激な」性行為を「レズビアン・テクニック」と称して赤裸々に描写する定番記事を確認できる。男性の異性愛的欲望を満足させるこのようなポルノ記事の氾濫は、「レズビアンは性的に奔放である」というイメージを流通させた。この時期の大衆メディアは、「男のような女」と「性的に奔放な女」というまったく別のタイプの「レズビアン」を言説的に構築したのだった（杉浦 二〇〇六）。

（2）「若草の会」に集ったレズビアンたち

「レズビアンには男役と女役がいる」という想定は、実際のレズビアンたちの交際のあり方に影響を与えていた。一九七一年から活動をはじめたとされる日本初のレズビアン・サークルに、「若草の会」がある。若草の会は不定期で会報を出しており、そこには会員のプロフィールや交際を希望する人のメッセージが掲載されていた。さらに、プロフィール、メッセージを出した人の特徴が、会長ないしは会の判断として、名前の上に記入されていたという（福永 一九八二：八八―八九頁）。

その特徴は、次のように類型化された記号で表現されていた。「外見女性的（内面リードされる）」「外見女性的（内面リードする）」「外見女性的（内面相手により違う）」「外見男性的（男装）」「外見ボーイッシュ（内面リードする）」「外見ボーイッシュ（内面相手により違う）」「外見普通（内面リードする）」「外見普通（内面相手により違う）」（福永 一九八二：二八頁）の八つである。

外見やふるまいが「男らしいか／女らしいか」、関係性のなかで「リードするほうか／リードされるほうか」という基準でレズビアンを分類し、恋人探しの手がかりとしていたという事実は、「男役」「女役」と呼び得るような役割関係を築く人、そのような関係性を求める人がレズビアンのなかにいたことを示している。

もっとも、会員の特徴を表現する類型が八つもあり、会に集まる人びとの多様性をある程度、表現し得ていることは注目に値する。若草の会の会長、鈴木道子が「レズビアンとひとくちに言っても、いろいろな人がいる」「どれが正統のレズビアンであるということは決められない」「どういう形にせよ、自分の生きる道を女性と結びつけていこうとしている、という共通点があるだけ」（鈴木道子「レズビアンの会を主宰して一〇年」『婦人公論』一九八三年一月：三四〇―三四四頁）と述べているとおり、「レズビアン」というカテゴリーに引き寄せられて交流をもった「女性」たちは、ステレオタイプよりはるかに多様な人びとだったはずである（杉浦 二〇一七）。

3　資料の概要

一九七一年から約一五年間続いたといわれる若草の会では、茶話会や小旅行など、会員同士の交流に力がそそがれていた（福永 一九八二：九八頁）。一九七〇年代後半になると、こうしたやり方にもの足りなさを感じていた女性たち、「女の運動」「ウーマン・リブ」と接点のあった女性たちが、「オナベ」「ポルノ」といった画一的な「レズビアン」イメージの変更を迫り、レズビアンの解放を訴えていくようになる。本集成は、そうした女性たちが発行したミニコミ誌のコレクションとなっている。

（1）1970年代後半の資料

ここに収められた資料のうち、もっとも古いものは『すばらしい女たち レズビアンの女たちから全ての女たちにおくる雑誌』（「すばらしい女たち」編集グループ、一九七六年一一月）（第6巻・資料6）である。これは、ウーマン・リブ運動の拠点の一つであった「リブ新宿センター」（リブセン）に出入りしていた三人のレズビアンが、同志に向け

『すばらしい女たち レスビアンの女たちからすべての女たちにおくる雑誌』創刊号表紙（絵・楽白雀）。

てアンケートを実施したことに端を発する。その後、アンケートに回答した人を集めて座談会を開催。『すばらしい女たち』の巻頭を飾るのは、座談会の様子をまとめた記事である。アンケートの集計は『すばらしい女たち別冊〈レスビアンに関するアンケート〉集計とレポート』（「すばらしい女たち」編集グループ、一九七六年一一月）（第6巻・資料7）にまとめられた。

『すばらしい女たち』の制作に携わった麻川まり子は、一九七〇年一〇月二一日の国際反戦デーに行われた女だけのデモをきっかけに「ぐるーぷ・闘うおんな[1]」に参加し、しばらく女性たちと共同生活をしていた。しかし、初めてのリブ合宿（一九七一年八月二一―二四日）の一カ月ほど前に「ぐるーぷ・闘うおんな」をやめたという。その理由の一つとして、リブのなかのレズビアンに対する無知と偏見をあげている（麻川 二〇〇九：五―六頁）。リブセンには、麻川のほかにもオープンなレズビアンが出入りしており、アメリカのレズビアン・フェミニズムの情報も入ってきていた。しかし、このことは、日本のリブがレズビアニズムという課題を取りあげる契機にはならなかったようだ。麻川とともに『すばらしい女たち』をつくった織田道子が回想しているように（遠藤ほか 一九九六：二二一頁）、少なくとも一九七〇年代前半までの日本のリブは、男性との関係における「女」の意味を書き換えることに専心していたのであり、女性同士の関係のなかで「女」を再定義する可能性は見落とされていた。

しかし、『すばらしい女たち』は、ウーマン・リブの資源を活用することで世に送り出された雑誌でもある。ウーマン・リブでは多くの自主刊行物が生まれたが、『すばらしい女たち』をつくった女性たちもミニコミ誌をつくる、

「この雑誌を作った女たち」（『すばらしい女たち』著者紹介頁）。

配る、集まる、つながるという運動の手法に馴染みがあったと思われる。「レズビアンに関するアンケート」は、リブニュース『この道ひとすじ』の定期購読者名簿を活用して配られた。座談会や編集作業には、リブセンが利用された。このようにリブは、レズビアンたちに運動の手法、人脈、物理的な活動スペース、海外の情報などを提供したのである（杉浦 二〇〇八：一五九頁）。

『ザ・ダイク』（まいにち大工、第一・二号、一九七八年一月・六月）（第6巻・資料8）は、『すばらしい女たち』の発行に関わった一部の女性たちによるグループ、「まいにち大工」がつくったミニコミ誌である。「ダイク」とは、レズビアンを意味するスラング〝Dyke〟のことだが、新しいものを建築する「大工」との掛詞になっている。まいにち大工はミニコミ誌の刊行に加え、「女のパーティ」や「女たちの映画祭」（一九七八年）などの運営に関わった。「女の」と冠されているためレズビアンの存在が見えにくくなっているが、まいにち大工のメンバーであった出雲まろうによれば、これらのイベントではレズビアンと異性愛の女性が協働していたという[2]。

『ひかりぐるま』（ひかりぐるま、第一・二号、一九七八年四月・

九月）〔第6巻・資料9〕は、まいにち大工の準備段階に参加していた三名のレズビアンが、グループを離れて発行したミニコミ誌である。

　これら三誌の共通点として、一九七〇年代から八〇代にかけてアメリカで勢いを得たレズビアン・フェミニズム(3)にふれた女性たちが編集に携わったことがある。いずれも「レズビアンと女性」の自立、解放をめざし、「レズビアンと女性」に対するあらゆる差別、抑圧に異を唱えている。日本におけるレズビアン解放運動の嚆矢と呼べる三誌である。

（2）一九八〇年代前半の資料

　一九八〇年、『すばらしい女たち』『ザ・ダイク』にも関わった織田道子らを中心に、「レズビアン・フェミニスト・センター」（LFセンター）が設立された。LFセンターについて特筆すべきは、反ポルノグラフィ運動を精力的に展開したことである。「ポルノグラフィは女への暴力である」というスライドを制作、全国各地で上映会を実施し、注目を集めた。また、強姦をテーマにした映画『声なき叫び』（アンリ・C・ポワリエ監督、カナダ、一九七八年）を上映するための女性グループに参加（一九八二年）したり、「東京・強姦救援センター」を設立（一九八三年九月）したりし、女性の性暴力被害者の支援にいち早く乗り出している。本集成には、現在も活動を続けている東京・強姦救援センターに保管されていたスライドとその解説である〔ポルノグラフィは女への暴力である〕（レズビアンフェミニスト・センター・スライドグループ）〔第6巻・資料14〕、『声なき叫び』（「声なき叫び」上映グループ、一九八二年）〔第6巻・資料15〕のパンフレットが収められている。また、LFセンターの反ポルノ運動を伝えるものとして、ウーマン・リブの総合雑誌『女・エロス』『あごら』に掲載された記事三点(4)を収録した。

　一九八二年頃には「シスターフッドの会」の活動が確認できる。月一回スペースを借りてレズビアンの集まり（スペースダイク）を開いていたほか、『レズビアン通信』（シスターフッドの会、第一・二号、一九八二年九月・一〇月）〔第

6巻・資料10〉を発行している。本集成にはその創刊号と第二号を収録したが、全体が何頁なのか、またどれくらいの頻度で何号まで刊行されたのかは確認がとれていない。

一九八二年八月には、若草の会が一〇周年を記念し『Ｅｖｅ＆Ｅｖｅ』（若草の会、第一号、一九八二年八月）〈第6巻・資料11〉という雑誌を自費出版している。これは当初、ゲイ男性向け商業雑誌『薔薇族　きみとぼくの友愛のマガジン』を発行していた第二書房から出版されることになっており、『薔薇族』一九八二年四月号において「百合族の雑誌Ｅｖｅ＆Ｅｖｅの創刊を準備中」との発表がなされた。しかし、その半年後には「刊行が遅れたためにお互いに意志の疎通を欠き、六月に『若草の会』が原稿をひきあげるという事態」になったことが報告された（『薔薇族』一九八二年九月号）。若草の会代表の鈴木道子は『Ｅｖｅ＆Ｅｖｅ』の「創刊のことば」のなかで、これまでも雑誌の発刊について各方面から話があったが「内容の点で合意できず（男性読者の興味に添ったエロ本的内容の依頼）、見合わせてき」たと説明している。こうして「日本最初のレズビアン雑誌」は自費出版となった。

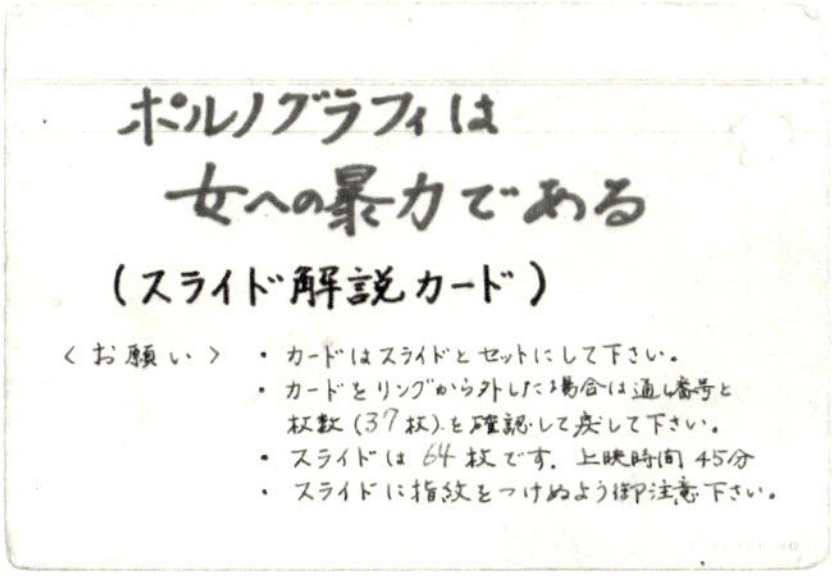

〔ポルノグラフィは女への暴力である〕スライド上映用カード。

『Ｅｖｅ＆Ｅｖｅ』は、若草の会が原稿の募集、編集、販売を手がけており、制作や頒布の方法、誌面構成など、ここに収録したほかのミニコミ誌と大きく変わらない。特筆すべきは、二〇〇頁近い大部であること、『薔薇族』で好評を博していた「文通欄」を設け、出会いの機会を提供しようとしていたこと、つくり手が「女の運動」「フェミニズム」と一線を画していたことである。とはいえ、『Ｅｖｅ＆Ｅｖｅ』も女を愛する女の解放を掲げた点は共通しており、鈴木は「この道に生きる女性たちのすべてが、迷いやためらいを捨て、強い信念をもって明るく伸び伸びと人生を歩んでいって欲しい」（「創刊のことば」）という願いを込めたと綴っている。一九八三年には第二号が刊行されたが、ここに収録できたのは創刊号だけである。

（3）一九八〇年代半ば以降の資料

一九七〇年代後半の三誌が刊行された頃から互いを見知っていた五人のレズビアンが、スライド『日本のレズビアンたち』の作成をめざして、八四年の暮れに「れ組のごまめ」というグループを結成、八五年五月から「レズビアンによるレズビアンのための通信」を謳った『れ組通信』（れ組のごまめ、第一―二二号、一九八五年五月―八七年三月）〈第1巻・資料1〉の刊行を開始した。メンバーが毎月持ち回りで責任編集するという体制が組まれた『れ組通信』は、長期にわたる安定的な刊行を実現させた。

「れ組のごまめ」発行の『れ組通信』は第二二号（一九八七年三月）をもって終了したものの、『れ組通信』そのものは、同じ三月に開設された日本初のレズビアンのための事務所「れ組スタジオ・東京」に引き継がれた。この時期の状況を伝える資料として、配布された「れ組スタジオ東京」（れ組スタジオ・東京、一九八七年〈七月〉）〈第5巻・資料3〉というリーフレットも収録した。れ組スタジオ・東京が発行した『れ組通信』（れ組スタジオ・東京、第一―七五号、一九八七年三月―九三年六月）〈第1―5巻・資料2〉は、四半世紀にわたりほぼ毎月発行されたが、二〇一三年二月末日に新宿区曙橋駅近くに共同で借りていた事務所を閉じ、同時に冊子版の『れ組通信』発行も終了した（第二九四号が最終号）[5]。なお、本集成には第七五号（一九九三年六月）までを収録したが、その理由は後述する。

れ組スタジオ・東京の創設に尽力した沢部ひとみによれば、一九八七年頃から地方の人とも連絡がとれるようになったという[6]。沢部は、一九八六年に「世界レズビアン会議に参加して」という記事を『婦人公論』（一九八六年六月、四二〇―四二七頁）に寄せているが、この記事に全国から一〇〇通ほどの手紙が届いた。そのようなレズビアンたちの生の声を届けたいという思いから、沢部は『別冊宝島64 女を愛する女たちの物語 日本で初めて！ 二三四人の証言で綴るレズビアン・リポート』（JICC出版局、一九八七年五月）を編集する。これに、れ組スタジオ・東京の連絡先を載せておいたことで、『れ組通信』の読者が各地に広がった。

全国の書店に並んだ『女を愛する女たちの物語』は、首都圏以外で活動が生まれる直接的なきっかけとなった。たとえば、「静岡・れ組」が発行したミニコミ誌『AMIE』の創刊号（一九八七年七月）には、「自分がレズビアンであることを認められるまでずいぶん時間がかかった」が、「別冊・宝島でれ組の存在」や「胸をはり誇りをもって生きているレズビアンたち」を知り、「罪悪感など吹き飛ばすことが出来るようになった」（1頁）という、発行責任者の体験が綴られている。このほかにも一九九四年に仙台で「クレプスキュール」（Crépuscule）というレズビアンのグループをつくった女性は、『女を愛する女たち』を読んで『れ組通信』を購読するようになり、そこで得た情報から地元のグループにアクセスしたと語っている。[7]この本が各地で暮らす女性を励まし、自分の言葉で自分の経験を語る実践やグループの設立を後押ししたのは、疑いようがない。

『瓢駒ライフ 新しい生の様式を求めて』（ひょうこま舎、第一―七号、一九八八年五月―九〇年九月）〈第7巻・資料17〉は沢部らが、れ組スタジオ・東京のスタッフを辞めて新たにはじめた同人誌である。『瓢駒ライフ』に参加した人びとがれ組スタジオ・東京を去ることになった理由には、沢部が発表した「異性愛強制というファシズム」（『新地平』第一五〇号、一九八七年六月、三四―三九頁）〈第7巻・資料16〉という評論をめぐって生じた意見の食い違いがあった。その経緯は『れ組通信』第一三号（一九八八年四月）に記録されているが、議論の発端となった『新地平』の評論もあわせて収録した。

（4）『女たちのエイズ問題』（一九八九年）

以上の資料に加え、本集成は二冊の報告書を収録している。

1冊目は、「エイズ予防法案を廃案にする女たちの会」が一九八九年一一月に発行した『女たちのエイズ問題 わたしたちはなぜ反対したのか!!』（エイズ予防法案を廃案にする女たちの会、一九八九年一一月）〈第6巻・資料4〉である。[8]「エイズ予防法」こと「後天性免疫不全症候群の予防に関する法律」は、一九八七年三月三一日に国会に提出され、八八年一二月二三日に参議院本会議で可決成立、八九年に公布、施行された[9]。

エイズ予防法は、行政が患者や感染者の個人情報を把握し、その行動を規制することで感染拡大を防ごうとする、社会防衛的な考えにもとづく法律である。この法律は、二次感染の追跡調査をしたり、感染が疑われる者に健康診断を受けさせたりする権限を都道府県知事に与えており、これらが実行される過程で重大な人権侵害が生じ得ることが危惧されていた。しかも厚生省（当時）は、「感染リスクが高い集団」（ハイリスクグループ）として男性同性愛者、性産業で働く女性、麻薬常習者などを名指ししており、弱い立場におかれている者への差別を助長した。

日本でエイズにまつわる問題に早くから取り組んでいた団体に、ゲイ男性たちが創設した「アカー」（Occur，動くゲイとレズビアンの会、一九八六年三月～）がある。アカーは、エイズや同性愛に対する偏見を取りのぞき、感染に関する正しい知識を普及させることが予防につながるとの立場から、啓発活動を行っていた。アカーからの働きかけにれ組スタジオ・東京のスタッフの何名かが応じ、両団体の共催で「みんなでぶっつぶせ!! エイズ予防法案」集会（一九八八年六月一二日）、「売買春問題からエイズを考える」集会（一九八八年七月一〇日）が実現している。その様子は『れ組通信』第一六号（一九八八年七月）、第一七号（一九八八年八月）にくわしいが、これらの動きは、れ組スタジオ・東京にとって初めての外向けのイベントであったこと、レズビアンとゲイ男性との連携が図られたことにおいて注目に値する。

「エイズ予防法案を廃案にする女たちの会」は、これらの集会に参加した女性たちが『女の視点』から法案に反対すべく立ちあげた会である。「女たちの会」が一九八八年一〇月一一日付で発表した反対声明には、三三団体・四一名の個人が名を連ねており、そのなかにはれ組スタジオ・東京も含まれている。『女たちのエイズ問題』は、この会に参加した女性たちの問題意識を記録した冊子である。

女性たちが敏感に反応したものに、「健全な性道徳を守って普通の生活をしていれば感染しない」とする政府のキャンペーンと、これに追随する報道や世論があった。それらは、男性の買春を放任しながら、性産業で働く女性、アジア系の外国籍女性を「感染源」に仕立てあげた。このように「家庭の外か内か」で女性を分断し内側にいる女性に「健全な性道徳」を押しつけるのは、異性愛規範をともなう家父長制が女性の性を管理するやり方にほかならない。さらに、ウイルスに感染した女性が出産を希望したさいには、「子どもが感染する可能性があるにもかかわらず産むのは非常識」という非難が巻き起こった。これは、「産む／産まない」の選択をめぐる女性の主体性を脅かすのみならず、「障害（病気）のある子は産むべきでない」という優生思想を強化する言説である。エイズ予防をめぐって現れた言説は、マジョリティに都合の良い「あるべき身体／性／家族」を再生産するものであり、これらの支配的な規範に対して様々な立場から抵抗してきた女性たちの連帯をうながした。

（5）『第一回ALN会議報告集』（一九九一年）

二冊目は、『第一回ALN会議報告集 はばたけ！ アジアのれすびあん』（ALN日本、一九九一年一一月）〔第6巻・資料5〕である。ALNとは「アジア系レズビアン・ネットワーク」（Asian Lesbian Network）のことであり、第一回の会議は、一九九〇年一二月七日から一〇日までタイのバンコクで開催された。タイ、バングラディシュ、インド、マレーシア、シンガポール、インドネシア、フィリピン、台湾、日本の九カ国・地域のほか、アメリカ、オーストラリア、イギリス、オランダからのアジア系レズビアンの参加もあり、六〇名以上の盛会だったという。日本からは一五名が参加した。

第二回は日本で開催されることになり、「ALN日本」が組織された。『報告集』はALN日本が編集発行したもので、第一回会議で各国レズビアンが行った現状報告や、日本からの参加者の感想がまとめられている。なお、れ組スタジオ・東京は、場所や連絡先の提供、資金の貸与、家賃負担の免除など、ALN日本に全面的に協力した（『れ組通信』第六三号：一一頁）。『れ組通信』では、第四二号（一九九〇年九月）に第一回会議（タイ会議）の情報が掲載されてから第六一号（一九九二年四月）まで、タイ会議の参加準備会、タイ会議の参加、第二回の準備会議、ＡＬＮ前夜祭のレポート記事などが掲載され続けた。これらの記事からは、第二回会議の開催に向けて相当の熱意と労力が費やされたことが伝わってくる。

「第二回ＡＬＮ会議＝ＡＬＮまつり」は、一九九二年五月二日から五日にかけて首都圏で開催された。一三カ国・地域から約三〇名（四〇名という報告もある）が来日、日本在住のアジア系レズビアンを含めて総勢一七〇名が参加。その様子については第六二号（一九九二年五月）以降の『れ組通信』で読むことができるが、第六三号（一九九二年六月）には、「日本に住む外国人のアジア系レズビアン」の存在を無視するような言動を主催者側がとったことに対する抗議文が掲載された。それ以降の『れ組通信』には、「日本に住む日本人のアジア系レズビアン」たちがこの問題提起に誠実に向き合い、それぞれに学び、考え、行動したことが記録されている。

同性愛者として、女性として、白人社会で差別されるアジア系として、自らを「抑圧される側」と位置づけていた「日本人レズビアン」が、日本人以外のアジア系を「抑圧する側」でもあり得ると気づかされたことへの衝撃は小さくなかった。加害者の立場からの自己批判を求められ、それに応じようとする数々の文章から伝わってくるのは、「アジア系レズビアン」というカテゴリーに覆われて見えていなかった違いを知り、他者との関係において自分がどのような位置にいるのかを問うことで対話をつないでいこうとする信念である。第七五号（一九九三年六月）には、「抑圧する側」として告発された主催者の一人がこの問いにどのように対峙してきたのか、一年にわたる過程を内省する文章が掲載された。

本集成は、第二回ＡＬＮ会議（一九九二年）までを区切りとしたため、『れ組通信』についても、この会議に関する記事が終息する第七五号までを収録した。[10]

4　一九九〇年代以降の動き

一九七〇年代後半のミニコミ誌から第二回ＡＬＮ会議までの活動を支えたのは、主に四〇年代半ばから五〇年代生まれの世代だった。本集成は、その世代の女性たちが生み出した初期の解放運動の記録が収められていると、大まかにいうことができる。首都圏では一九九一年頃から、六〇年代以降に生まれた世代による活動が目立ちはじめる。その世代の活動から誕生した資料はここに収録されていないが、どんな活動があったのかを簡単にまとめておく。

次世代による活動の特徴を挙げるとすれば、レズビアン・コミュニティの外に向けて自らの存在を積極的に発信していったことがある。対照的に、れ組スタジオ・東京や第二回ＡＬＮ会議は、外向けの発信を慎重に検討、管理してきた。たとえば、第二回ＡＬＮ会議の開催に積極的に関わった若林苗子は、「第二回ＡＬＮ会議で会場を借りる時には『アジア系レズビアン・ネットワーク』という名を出せなかった」「『レズビアン』と公に出したところで、行けない、来られないという人がほとんどだったと思う」[11]と述べている。性的指向が露見することへの不安、実際に露見することによる代償が現在よりはるかに大きい時代に、参加者のプライバシーを守ることを第一とした判断だった。

一九九一年から九五年ころまでは、自らが顔を出しながらレズビアンの等身大を伝えようとする自己表現が活発になされた時期だった。なかでも掛札悠子は、可視性の高い活動を行った。[12]たとえば『こだわりＴＶ　ＰＲＥ★ＳＴＡＧＥ』（プレステージ、一九八八―九二年）というテレビ朝日系の深夜帯番組に出演して同性愛をテーマにした討論に参加したり（一九九一年）、『「レズビアン」である、ということ』（河出書房新社、一九九二年）を出版したりしている。また、一九九二年から九三年にかけて、掛札や萩原まみが企画編集に加わった「レズビアン特集」が一般雑誌で立て続けに組まれた。[13]さらに、掛札らはミニコミ誌『ＬＡＢＲＹＳ』（一九九二―九五年）を発行し、最終的には一六〇〇名にのぼった購読者に「文通欄」（通信欄）を通じて出会いの機会を提供した。一九九五年には、『女性を愛するあな

たに捧げる フリーネ』（一九九五年六月〜、三和出版）という商業雑誌が発行され、第二号（一九九五年一一月）は、ロック・バンドのボーカリスト、笹野みちるが表紙を飾った。笹野は一九九五年七月に出版された『Coming OUT!』（幻冬舎）で、同性愛者であることを公表していた。

掛札や萩原が参加した雑誌では、「レズビアン」のイメージが固定するのを嫌い、内部の多様性を強調、百人百様の生き方、考え方、セックスの仕方があるというメッセージを押し出している。たとえば、「レズビアンの関係は平等である」「レズビアンはフェミニストである」など、レズビアン・フェミニズムにもとづく見方もステレオタイプの一つとして注意深く扱われ、「タチ（男役）／ネコ（女役）」という役割分担もやみくもに否定されない。また、個人の性のあり方が多様であることを「セクシュアリティ」という概念を用いて説明した。そのさいに力点が置かれたのは、「異性愛」というセクシュアリティがあり、「異性愛者」という主体が存在するということだった。「レズビアン&ゲイ」特集が組まれた『宝島』（一九九三年三月九日号、二八—五七頁）では、冒頭のページに「まず最初に考えてみよう、ヘテロって何だ⁉」という大見出しがあり、「異性愛者の多くは、自分が〝ヘテロ・セクシャル〟であることを知らない」というリード文が続く。これは、「異性愛」も「同性愛」も数あるセクシュアリティの一つだと示すことで「異性愛＝正常／同性愛＝異常」という序列的な二項対立の構図に介入する、フディカルな言説だった。

掛札らとは別の動きに、一九九一年に発足した「LIO」（Lesbian in Occur）がある。これは、ゲイ男性を中心に運営されていたアカーのなかにできたレズビアンのグループである。LIOは、月二回のオープン・ミーティングの開催、月二回の女性向け電話相談の実施、月刊のニュースレター『LIO便り』の発行など、主に会員に向けた活動を展開した。LIOを主導した工藤加寿子は、それと同時に、会員以外に向けた発信にも力を注いだ。「Hands on Hands」（新宿にあったレズビアンとゲイのための情報センター）で開催されていた「レズビアン・スタディーズ講座」で電話相談の状況を紹介したり、「〝人間と性〟教育研究協議会」のシンポジウムで個人史を話したりし、教育や支援に関わる人びとの啓発に取り組んだ[14]。

若い世代が手がけたミニコミ誌『ＬＡＢＲＹＳ』『ＬＩＯ便り』などは、本集成に収められていない。これらに加え、一九八〇年代後半に首都圏以外の地方で発行されていたミニコミ誌[15]も収められていない。しかし、そうした次世代による活動や首都圏以外の活動は、ここに収録されている資料をつくった女性たちの活動と切り離されているわけではなく、むしろ何らかの意味で連続性をもつものである。それらは、先行する活動に触発されたり、支えられたりしながらつくられたものであり、あるいは、先行する活動が十分に扱わなかった課題を議論したり実践したりするためにつくられたものである。本集成の諸資料は、世代や場所、人的ネットワークや政治的主張などにおいて重なりを有するものとして監修者の視点から文脈を与えられているが、その特徴は、より大きな運動の流れや広がりのなかに位置づけてこそ十全に理解できるものである。

なお、一九九三年頃「オナベ」が「ミス・ダンディ」と呼ばれるようになり、世間で話題になった。オナベ・バーの取材から構成された雑誌記事では、「オナベは男性として女性を愛するのだから、精神的には異性愛者」というオナベ自身の言葉が紹介され、レズビアンとの差異化が図られている。同時期に、アメリカで性別適合手術を受けて帰国した虎井まさ衛が「ＦＴＭＴＳ」（Female to Male Transsexual）という概念を広め、レズビアンとトランスセクシュアルとの違いが理解されるようになった。「自分のことを男と思っているオナベやタチ」が意味的に「レズビアン」から離脱したのは、この頃である。

5　マイノリティ資料のアーカイビングの意義

マイノリティの社会運動の記録を残していくこと――アーカイビングという活動――は、忘却に抗おうとする実践であり、それ自体、権力に抵抗するラディカルな社会運動である。本集成に収録された資料は、古いものでもせいぜい五〇年ほど前のものだが、マイノリティが発行したミニコミ誌という性格上、残りにくいものばかりである。それらがここに復刻版として保全されたことの重要性は、計り知れない。

マイノリティのミニコミ誌が残りにくいのは、第一に、少部数しか発行されていないからである。それは、費用を抑えるためでもあっただろうし、信頼できる会員や団体にしか頒布しないことを意図したためでもあった。流通を制限することは、購読者のプライバシーや自分たちの表現の場を守るため、さらには、自分たちの表現を意に沿わないかたちで使われないようにするために、当時は必要なことだった。

また、マイノリティ資料は、そもそもマジョリティの視点からは廃棄されやすい資料である。では、マイノリティが保持し続けるかといえば、そうとも限らない。なぜなら、マイノリティにとっては偏見ゆえに秘匿を余儀なくされる情報であり、個人で所蔵することには露見のリスクがともなうからである。編集発行の中心にいた人でさえ保管していないこともあったが、運動から離れて次の人生の局面に移行するさいに資料を手放したということだった。加えて、ほとんどの資料が製本されていないため、整理や保管が煩雑になり、散逸しやすいということもある。

ここに収録されたミニコミ誌の原本は、以上のような困難を乗り越えて、活動家の方々が個人的に所蔵していたものである。資料が今日まで残されたことを、私たちは運動の成果の一つと受け取るべきなのだ。

ちなみに、ウーマン・リブのなかで発行された資料（パンフレット、冊子、ニュースレター、ビラなど）を整理した『資料 日本ウーマン・リブ史』Ⅰ・Ⅱ・Ⅲ（一九九二・九四・九五年、松香堂書店）において、ここに収録したミニコミ誌から抜粋された数点の記事を活字で読むことができる。また、『れ組通信』と『瓢駒ライフ』は国立国会図書館に納本されている。しかし、実際の誌面の手づくりの感触を運動史の文脈とともに味わえるのは、本集成のみである。本集成にふれることで復刻という営みの醍醐味を知った人びとに、活動を残そうとする意志や行動様式が宿ったら嬉しい。

おわりに

ここまで、レズビアン解放運動を伝える資料が発行された経緯を中心に解説をしてきた。「運動」というと肩に力の入ったもののように思われるかもしれないが、個々の記事や作品は、日々の生活のなかでの気づき、仲間とつながったことの喜び、人間関係の悩み、自分らしく生きるためになされる自己や他者、社会との対話など、その時々の思いや考えを等身大で表現したものである。それらは、読み手の誰かに届いて生き延びるための知恵となった。誰もが当たり前に携帯電話をもつようになる前の時代に、自前で生存と抵抗の技法を育て、蓄積し、広めたメディアから、現代や未来の私たちが受け取れることは少なくない。

繰り返しになるが、ここに収められた資料のほとんどは、活動家個人がばらばらに所有していたものである。これまでどんな資料がどこにあるのかを確認することさえ容易でなかったことを考えると、「一九七〇年代後半から九〇年代の初め」「首都圏」「レズビアン解放運動」という文脈を保持したコレクションとして復刻されるのは、画期的なことである。本集成は、クィア領域における運動史研究を豊かにするだけでなく、性的マイノリティに対する差別問題に取り組む現代の私たちに多くの気づきや励ましをもたらすだろう。研究や教育、運動の現場で活用されることを期待している。

最後になるが、本集成の出版が実現したのは、原本をご提供いただいた方々や、復刻にご快諾いただいた著作権者の方々のおかげである。とくに、出雲まろう、織田道子、沢部ひとみ、若林苗子の諸氏（五十音順）には、原本の探索や提供、著作権者への連絡にさいし、多大なる援助を賜った。ここに深く感謝の意を表したい。

注

（1）田中美津（一九四三―二〇二四）を中心に一九七〇年一〇月に発足したウーマン・リブのグループ。

（2）出雲まろう氏へのインタビューより（『レズビアン・デジタル・アーカイブス』https://l-archives.jp/movement-history/maro-20230610/）。

（3）レズビアン・フェミニズムは、一九七〇年代から八〇年代にかけてアメリカで発展したもので、思想的にはラディカル・フェミニズムの一派である。それは「女性同士のエロチックな／感情的な関わり合いと家父長的支配への政治的抵抗とは関連している、という想定にもとづいた様々な信念や実践」（Taylor and Rupp 1993:33）だと大まかに定義することができる。レズビアン・フェミニズムは、「異性愛」を家父長的支配の「制度」とみなし、さらに「女性同士の関係性」（レズビアニズム）を男性支配転覆の「手段」とみなす。これを象徴するスローガンが「フェミニズムは理論であり、レズビアニズムはその実践だ」である（Taylor and Rupp 1993：44―45）。女性の抑圧の根源は「制度としての異性愛」にあると考え、その制度を転覆させる手段としての可能性が「女性同士の関係性」に託されているのである。

（4）①織田道子「ポルノグラフィは女への暴力である」（『あごら』第二五号、一九八一年一二月、八六―一八七頁）〔第6巻・資料12〕、②レズビアンフェミニスト・センター・スライドグループ「ポルノグラフィは女への暴力である」（『女・エロス』第一六号、一九八一年五月、五一―一八頁）、③同「女のエネルギーを女へ！」（『女・エロス』第一六号、一九八一年五月、五一―一八頁）〔②③は第6巻・資料13として収録〕。

（5）二〇一三年以降も公式ホームページ「れ組スタジオ・東京 online」（https://regumi.sakura.ne.jp/retsushin/）で不定期に記事を発信している。

（6）沢部ひとみ氏へのインタビューより（『レズビアン・デジタル・アーカイブス』https://l-archives.jp/2009_oral_movement_history/03_sawabe.pdf）。

（7）コロ氏へのインタビューより（『レズビアン・デジタル・アーカイブス』https://l-archives.jp/movement-history/koro-20230703/）。

（8）エイズ（AIDS：Acquired Immunodeficiency Disease Syndrome，後天性免疫不全症候群）は、ＨＩＶ（Human Immunodeficiency Virus，ヒト免疫不全ウイルス）に感染した結果、免疫が低下して起こる病気の総称である。ＨＩＶは、一九八〇年代に発見された比較的新しいウイルスで、感染した人の血液、精液、膣分泌液、母乳に存在する。性行為による感染のほか、輸血、注射器の回し打ちによる感染、母子感染などがある。エイズは、一九九〇年代中頃まで治療法がなく、発症するとその多くが死亡する「死に至る病」だった。現在は薬によってウイルスの量が抑えられ、血中のウイルス量が検査で見つからないほどのレベルにまで抑えることが可能になっている。

（9）エイズ予防法は、一九九九年四月一日施行の「感染症の予防及び感染症の患者に対する医療に関する法律」に統合されることで廃止されている。

（10）ALNの会議は、日本での第二回のあと、第三回が台湾（一九九五年八月）、第四回がフィリピン（一九九八年一二月）で開催された。第五回は二〇〇〇年に韓国で開催される予定だったが、未開催。なお、ALN日本は『ALN日本事務局ニュースレター』（一九九二年九月〜）の発行、ミーティングの開催など、第二回会議のあともしばらく活動を続けた。

（11）若林苗子氏へのインタビューより（『レズビアン・デジタル・アーカイブス』https://l-archives.jp/2009_oral_movement_history/02_wakabayashi.pdf）。

（12）「若草の会」の代表、鈴木道子は、会の存在を当事者に知ってほしいという気持ちから、一九七〇年代後半から八〇年代前半にかけて雑誌の取材を多く受け、テレビにも出演してきた。しかし、取材者のほとんどは男性で、女同士でどうやってセックスをするのかということばかり聞きたがったという（福永 一九八二：一〇四頁）。レズビアンの等身大を可視化しようとする鈴木による試みは、「他者」である異性愛男性のフィルターを通過することで「レズビアンは性的に奔放である」というステレオタイプ的な表象に回収されてしまっていた。一九八〇年代前半までは、大手メディアにおける「等身大の自己表現」が困難であったことがうかがえる。

（13）『別冊宝島EX ゲイのおもちゃ箱 ABCからHまで…。ゲイの遊び方・楽しみ方，教えてあげる!!』（JICC出版局、一九九三年一月）、『別冊宝島172 エイズを生きる本 決定版！』（同、一九九三年三月）、「特集レズビアン&ゲイ」（『宝島』一九九三年三月九日号）、「レズビアンによるレズビアン・ライフ特集 レズビアンの愛し方」（『宝島』一九九三年八月九日号）など。

（14）工藤加寿子氏へのインタビューより（『レズビアン・デジタル・アーカイブス』https://l-archives.jp/movement-history/kudo-20220723/）。

（15）一九八〇年代後半に地方で発行されていたミニコミ誌として、京都発の『ソフィア』『YUKARI（縁紫）』、「静岡・れ組」による『AMIE』などがある。

参考文献

麻川まり子　二〇〇九「リブセンで出会った『すばらしい女たち』」杉浦郁子編・発行『日本のレズビアン・コミュニティ　口述の運動史』一―一六頁。

遠藤美咲・織田道子・北山黎子・武田美由紀・生原玲子・町野美和・森節子・米津知子・若林苗子　一九九六「座談会・リブセンをたぐり寄せてみる」女たちの現在を問う会編『全共闘からリブへ』インパクト出版会、二〇四―二五一頁。

福永妙子　一九八二『レズビアン　もうひとつの愛のかたち』大陸書房。

村上　潔　二〇二一「ジンというメディア＝運動とフェミニズムの実践　作るだけではないその多様な可能性」田中東子編『ガールズ・メディア・スタディーズ』北樹出版、一三〇―一四九頁。

杉浦郁子　二〇〇六「一九七〇、八〇年代の一般雑誌における『レズビアン』表象　レズビアンフェミニスト言説の登場まで」矢島正見編著『戦後日本女装・同性愛研究』中央大学出版部、四九一―五一八頁。

――――　二〇〇八「日本におけるレズビアン・フェミニズムの活動　一九七〇年代後半の黎明期における」『ジェンダー研究』第一一号、一四三―一七〇頁。

――――　二〇一七「日本におけるレズビアン・ミニコミ誌の言説分析　一九七〇年代から一九八〇年代前半まで」『和光大学現代人間学部紀要』第一〇号、一五九―一七八頁。

――――　二〇一九「一九七〇年代以降の首都圏におけるレズビアン・コミュニティの形成と変容　集合的アイデンティティの意味づけ実践に着目して」菊地夏野・堀江有里・飯野由里子編『クィア・スタディーズをひらく』第一巻、晃洋書房、一七一―五三頁。

Taylor, Verta and Rupp, Leila J.
1993 "Women's culture and Lesbian Feminist Activism: A Reconsideration of Cultural Feminism," Signs 19:32-61.

Ⅱ

総目次

総目次　凡例

一、本総目次は『レズビアン雑誌資料集成』収録資料のうち、『れ組通信』ほか資料1、2、4―11、15、17の雑誌資料から作成した。

一、筆者名、表題などは、明らかな誤植、脱字など以外は原則として原本の通りとし、表記はあえて統一していない。

一、原本に頁数が明記されていない場合は、本集成収録順の仮ノンブルを記した。また誌面によっては収録頁が逆順となっている場合がある。

一、掲載できなかった筆者名は〔……□……〕として伏せた。

一、＊印、〔　〕は編集部の補足であることを示す。

不二出版編集部

資料1

『れ組通信』第1号〜第22号

発行＝れ組のごまめ

1985年5月〜1987年3月

第1号　1985年5月19日発行

〔責任編集〕神楽ぢゃむ

スライド制作について　〔神楽ぢゃむ〕　1
エバとリビアに魅せられて「アナザウェイ」
私見　広沢　有美　2〜3
発刊にあたって　〔神楽ぢゃむ〕　2
クラウド9　神楽ぢゃむ　3〜4
おしゃべりはづきのちょっとひとこと
葉月いなほ　5
後記　神楽ぢゃむ　6

第2号　1985年7月6日発行

〔責任編集〕葉月いなほ

はじめに　〔葉月いなほ〕　1
特集その1「あなたはなぜレズビアンですか？」〔葉月いなほ〕　1
はじめてのラブソング　の　ぶ　1
特集その2
第2回国際フェミニスト会議　レズビアン分科会に参加して「愛する女とどのようにして自立的関係を作るか」　葉月いなほ　2〜3
指紋押捺拒否をめぐって考えたこと　い　な　ほ　3
翻訳連載その1
〝サフィストリー（SAPPHISTRY）〟レズビアン・セクシュアリティの本（性の有り様）
パット・カリフィア著
麻川まり子／葉月いなほ／神楽ぢゃむ　4〜5
編集後記　い　な　ほ　5
（＊詩）アダムの肋骨からでなく　渡辺みえこ　5

第3号　1985年8月4日発行

〔責任編集〕カリド
世界の女神シリーズ①　原始女性は太陽だった　〔カリド〕 1
本の紹介のコーナー『女を装う』（駒沢喜美編、勁草書房）　〔カリド〕 2
夏バテを怒って噴きとばせ　〔カリド〕 2
（＊詩）夏なのに秋を思う歌　〔カリド〕 2
翻訳連載その2
サフィストリー（SAPPHISTRY）　レズビアン・セクシュアリティの本（性のありよう）
パット・カリフィア著
麻川まり子／葉月いなほ／神楽ぢゃむ 3〜4
小説　真夏の夜のお楽しみ　河原のり子 5〜6
〔お知らせ〕 7
みんなの好きなスケベな小話
HOW TO LESBIAN SEX 6／9〔カリド〕 7

第4号　1985年9月1日発行

〔責任編集〕草間　けい
北海道おもしろバイクツーリング　草間　けい 1〜8
こうすればあなたもストレートをカムアウトさせられる！　広沢有美があなたに贈る実践的㋹ん愛講座・その1　広沢　有美 9〜10
〔お知らせ〕 11

第5号　1985年10月1日発行

〔責任編集〕広沢有美
こうすれば恋人とのいい関係を長続きさせられる！　広沢有美があなたに贈る実践的れん愛講座・その2　広沢　有美 2〜5
フェミニスト小説「あたし初めて女の人と寝ちゃったんです」　広沢　有美 5〜11
〔お知らせ〕LESBIAN HOT LINE 12

第6号　１９８５年10月27日発行

〔責任編集〕かぐらぢゃむ

私（レズビアン）と仕事　かぐら　6～8
おしゃべり葉月のちょっとひとこと　みだらな性行為って何？　葉月いなほ　5
（＊詩）愛に　ぢゃむ　5
〔れ組のみなさんお元気ですか〕　かぐら　4
SAPPHISTRY パット・カリフィアによるレズビアン・セクシュアリティー
PAT CALIFIA／葉月いなほ（訳）　3
編集後記　かぐら・ぢゃむ　2
〔お知らせ〕　2

※本号は逆開きであるため頁数も逆で収載した。

第7号　１９８５年11月30日発行

〔責任編集〕葉月いなほ

やったぞ！レズビアン会議！　いなほ　1～2
♀♀レズビアン会議で行われたこと　１９８5・11／2・3・4　〔葉月いなほ〕　2
分科会の報告　その①　葉月いなほ　2～6
ほめあうことの素晴らしさ！　レズビアン会議２日目スポーツ大会　河原カリド　7～9
読者の声　ア・リ・ガ・ト・ウ　大阪S・F　10
最近思うこと　編集後記に代えて　11

第8号　１９８５年12月28日発行

〔責任編集〕広沢　有美

広沢有美があなたに贈る実践的れん愛講座・その３　恋人との別れをどう迎えるか　広沢　有美　2～5
（＊詩）愛の詩　四編　広沢　有美　6～7
LESBIAN NET WORK　清　子　8
〔読者の声〕　I　9
〔お知らせ〕LESBIAN HOT LINE　10

第9号〔正月特大号〕　1986年1月20日発行

〔責任編集〕川原カリド

私はシングルレズビアン　川原のり子　1〜3
ヴィーナスの変貌　町野　美和　4
教育現場のレズビアン　レズビアン教師はこう語る　H・K　5〜6
（＊詩）朝食　渡辺三枝子　6
（＊イラスト）　karido　6
ある女の狂気　アマンダ・ヘイマン／カリド（訳）　7〜8
編集長からのメッセージ　〔カリド〕　8
LESBIAN HOT LINE　9
カリド後記　眠い目をこすりつつ　〔カリド〕　9

第10号　1986年〔発行月日不詳〕発行

〔責任編集〕草間　けい

問題提起レポート「職員室から」　草間　けい　1〜3
スウェーデンに住む清子さんへのインタビュー　ニルスの国から　広沢　有美　4〜6
第8回レズビアン国際会議開かれる！　葉月いなほ　7〜9
ダイクスポーツウィークエンドに参加して　〔草間けい〕　10
〔お知らせ〕LESBIAN HOT LINE　11
編集後記　草間　けい　11

第11号　1986年4月〔発行日不詳〕発行

〔責任編集〕かぐらじゃむ

フェミニストNZを行く　フェミニズム留学自転車行脚　川島　芳子　1〜6
（＊詩）この街のどこかに　存原　涼　7
もう一つの職員室から　「職員室から」草間けい・第10号にこたえて　一条可奈子　8〜9
女の音楽を聞いてみよう　ジルとドナ　9

第12号　1986年5月3日発行

〔責任編集〕広沢有美

ユー・アー・クレイジィ！　ワルシャワのエバ訪問記　広沢　有美　１〜11
LESBIAN HOT LINE お知らせとお願い　れ組のごまめ　11

第13号　１９８６年６月３日発行　〔責任編集〕葉月いなほ
行ってよかった！　国際レズビアン会議　葉月いなほ　１〜11
（＊詩）読者からの手紙　一編の詩〝Ｋへ〟　岸　黎子　12
５月の連休中、こんなことがありました　マスターベーションと性的自立　前田としこ　13〜14
情報コーナー　15
編集後記　〔葉月いなほ〕　裏表紙
お知らせ　裏表紙

第14号　１９８６年６月30日発行　〔責任編集〕草間　けい
㋹組誕生物語　草間　けい　２〜３
読者のページ　娘と共にガンバル Lesbian Motherの生き方　カズ・オレンジ　４〜６
読者のページ　男のいやがらせへの即答集　川島　芳子　７〜８
Dream on ……夢を叶えるために　ＴＡＯ　９
読者からの手紙によせて　広沢　有美　10〜12
提案　ペンフレンドコーナーを作ろう！　広沢　有美　13〜14
〔お知らせ〕わくわくごまめキャンプのお知らせ　15
情報ひろば　16
編集後記　草間　けい　16

第15号　１９８６年７月31日発行　〔責任編集〕広沢有美
せめて、ごまめの歯ぎしり　広沢　有美　２〜４

真夏の夜の一冊　〔広沢有美〕　5
㋹組誕生物語　草間　けい　6〜9
「ガープの世界」を見て　ＴＡＯ　9〜10
夢よりも深い覚醒　松本　エム　11〜13
性を越えて　読者からの手紙　藤本　ヒロ　14〜15
情報ひろば　16
編集後記　〔広沢有美〕　16

第16号　１９８６年８月23日発行

〔責任編集〕カリド
月の子の告白　ＴＡＯ　1
大豆〈創意豆〉物語　ＴＡＯ　2
オークランドの夜はふけて……女の仮装舞踏会　川島　芳子　3〜4
今月の表紙のことば　4
二人の女の書評「ナブラチロワ」　マルチナ我が愛　前田としこ　5〜6
二人の女の書評「ナブラチロワ」　なぜいまマルチナ？　ＫＵＳＵＫＯ　5〜6
速報、ワクワクごまめキャンプ　草間けい／カリド　6〜7
女が文化を創った　１０００年前の洞くつ画が語る女の姿　〔カリド〕　8
輝ける家族　父について　町野　美和　9〜11
〔お知らせ〕ネパール、ポカラの女による女の宿泊所　11
情報ひろば　13
編集後記　カリド　13

第17号　１９８６年９月〔発行日不詳〕発行

〔責任編集〕かぐら
アメリカへの旅　その１　かぐらぢゃむ　1〜6
行けば元気の泉わく！　第４回東京国際女性会議　通称レズビアン・ウィークエンド　ＴＡＯ　7〜10
フーカン物語　風　子　11〜14
〔お知らせ〕レズビアンの本作りに協力を　広沢　有美　14

情報ひろば 15
編集後記 かぐら 15

第18号 １９８６年10月31日発行
〔責任編集〕葉月いなほ
（＊イラスト） 泰 表紙
ひどい落ち込みからはい出しつつあるの！記 葉月いなほ 1～3
表紙作者のことば 泰 3
輝けなかった家族史　あたしのなかの俺 みえこ 4～8
詩 岸　黎子 9
読者からの便り 林　陽子 10
れ組通信の読者の皆さん 広沢　有美 11
情報ひろば 11
編集後記 いなほ 11

第19号 １９８６年11月30日発行
〔責任編集〕草間けい
（＊イラスト） 泰 表紙
オーストラリアへの招待　シドニーとウーマンズ・ランド　キャシー・ルイス／広沢有美（訳） 1～5
第５回レズビアン・ウィークエンド・レポート ひろこ 6～9
11月のレズビアン・ウィークエンドに参加して分科会：日本のレズビアンの今、明日　レズビアンであることが、どうして運動になりうるのか？ 泰 10～11
レズビアンの生き方シリーズ　仕事が恋人 尾張　肇 12～14
情報ひろば 15
編集後記 草間　けい 15

第20号 １９８６年12月〔発行日不詳〕発行
〔責任編集〕かぐらぢゃむ

（＊イラスト）　ちさこ　表紙
アメリカへの旅　その2　女への愛は国を越えて・人種を越えて・ことばを越えて　かぐらぢゃむ　1～5
愛と自己変革と、そして仕事　ちさこ　6～8
私の国際恋愛いろは　ひろこ　9～11
準備は万端、仕上げは……！　女への愛、レズビアンの新しい文化を感じさせる、分科会の準備方法に出会って　泰　12～14
れ組スタジオ・東京設立にむけて　草間けい　15
後記　かぐらぢゃむ　15

第21号　1987年1月31日発行　〔責任編集〕葉月いなほ

（＊イラスト）　い〔葉月いなほ〕　表紙
アジア系レズビアンとの出会い　女のいるところ、どこにでもレズビアンはいる！　葉月いなほ　1～6
メキシコのレズビアンからの手紙　葉月いなほ　6～7
あふれる想いを言葉にかえて　アメリカからの手紙　岸黎子／F　8～10
愛は国境を越えるか？　みゆき　11～12
「れ組スタジオ・東京」開設にむけて　〔葉月いなほ〕　13
第2回運営スタッフ会議報告　広沢有美　14
〔お知らせ〕　15
編集後記　いなほ　15

第22号　1987年3月8日発行　〔責任編集〕カリド

（＊イラスト）　草間けい　表紙
女は最高！　レズビアンはさらに楽しい！　かぐらぢゃむ　1～2
さよなら！　私のレズビアン・コンプレックス　草間けい　3
大変だったけれど、面白かったナー！　れ組通信の編集にかかわって　葉月いなほ　5～6
なんでだっけ？　広沢有美　7～8

ごくごく私的「れ組史」　望月　タオ　9～10
第3回運営スタッフ会議報告　れ組スタジオ・東京　10
書評『シングルライフ』海老坂武著　カリド　11
本の紹介『非婚時代』吉廣紀代子著　〔カリド〕　11
れ組万歳　河原カリド　12～14
〔お知らせ〕　15
編集後記　カリド　15

資料2

『れ組通信』第1号～第75号

発行＝れ組スタジオ・東京
1987年3月～1993年6月

第1号　1987年3月29日発行

〔責任編集〕望月タオ

（＊イラスト）　RIN　表紙
いざ出帆！　れ組スタジオ・東京丸　広沢　有美　2～3
女の春祭りレポート　存原　涼　4～5
れ組スタジオ・東京スタッフ一同　6～7
岸田秀の「ものぐさ精神分析」からみえてきたもの　松本　エム　8～9
れ組スタジオ・東京からのお知らせ　10
資料集めに協力ください！　10
もっと、心ひらいたなら……　望月　タオ　11
情報ひろば　裏表紙

第2号　1987年4月28日発行

〔責任編集〕広沢有美

（＊イラスト）　不　明　表　紙
女が女を愛することの本当の意味　広沢　有美　2～5
相互カウンセリング（CO-COUNSELING）Ⅰ　泰（紹介、訳）／アマンダ　6～9
3ねんれぐみにっき　くさまけい　9

座談会（1987年4月3日「れ組スタジオ・東京」での話し合い）広沢有美／葉月いなほ（テープ起こし）　10〜14
読者からの手紙　山崎　志信　15
読者からの手紙〔応答〕　広沢有美／ひろこ　15
情報ひろば　裏表紙

第3号　1987年5月26日発行

〔責任編集〕大久／川田／ひろこ
（＊イラスト）　スー・マクナブ　表紙
はじめに　大　久　1
〝レズビアン・マザー〟家族社会へのチャレンジャー　ひ　ろ　こ　2〜5
れ組スタジオ東京の案内パンフレットが出来ました　5
読者の皆さんへ　大久／川田　5
第1回　れ組ハイキング　ひ　ろ　こ　6
「やっとカムアウトしたんだね、赤飯たいてあげたいね」　大久　ゆう　7〜10
レズビアン・サイン・ア・ラ・カルト　11
レズビアンサイン　実践の巻！　くさま・けい　11
今夜は一緒にタコを食べよう「ナチュラル・ウーマン」（松浦理英子著、トレヴィル刊）を読み、その読書会（87・4．19 於：joki）に参加して　白　12〜13
初体験！　レズビアン・ウイークエンド　敦賀美奈子　14
情報ひろば　裏表紙

第4号　1987年6月21日発行

〔責任編集〕神楽／敦賀／大久
（＊イラスト）　シ　ン　表　紙
今号について　1
五月の歌をうたおう　川野あめんぼ　1
More sisterhood!　アンケート未回答の弁明と感想にかえて　高橋　恵　2〜3
れ組通信を読んで　高橋　瑛子　3〜4
結婚しているのですが……　K・Y　4

座談会への批判　節　子　5
れ組通信第2号「座談会」を読んで
チック・タック　6
〔お知らせ〕れ組通信サンフランシスコ版　6
「座談会」への個人的意見　かぐらぢゃむ　7
海外からのたより　きょこ　8
5月24日　れ組・ハイク・レポート　存原　涼　8
マンガファイ　ウィメンズフェスティバル
ＵＳＡ　9〜11
センター・コートの女王　葉月いなほ　12
れ組スタジオ当番日誌　敦賀美奈子（編）　13
今月の編集人から　つるが／大久／かぐら　14
情報のひろば　裏表紙

第５号　１９８７年７月29日発行

〔責任編集〕草間けい

（＊イラスト）　不　明　表　紙
ありがとう　川野あめんぼ　2〜3
読者からの手紙　桜田成美／レイ　4〜6
ナチュラル・ウーマン読書会の感想　きょこ　7
ロマンス　前編　高橋　瑛子　8〜9
Paris　6月の恋……Oh, la la
ナオミ・ジョルジュ・サンド　10〜12
れ組スタジオ当番日誌　広沢有美（編）　13
大波小波　レズビアニズム（『東京新聞』１９８7年6月18日付）　13
のっぺりした「平場」でなく　草間　けい　14〜15
2丁目は楽し　草間　けい　15
情報ひろば　裏表紙
編集後記　草間　けい　裏表紙

第６号　１９８７年８月28日発行

〔責任編集〕広沢有美

（＊イラスト）　不　明　表　紙
我がヰタ・セクシュアリス　み　え　こ　2〜5
私の中の女と男　敦賀美奈子　6〜7
フランスのレズビアン達　ＨＩＲＯＫＯ　8
今月のテーマ〝私の中の女と男〟について

ロマンス　後編　広沢　有美　9
私家版『女になりたい』　高橋　瑛子　10〜11
街——ある回想　〔……A……〕　12〜14
読者からの手紙　岸　黎子　15
ユース・イベントのこのこ訪問記　二番町馨／ひろみ　16〜17
コンピュータ占いの巻　草間　けい　18
〔お知らせ〕『れ組通信』年間購読料値上げのお願い　草間　けい　18
　19
情報ひろば　裏表紙
編集後記　広沢　有美　裏表紙

第7号　1987年9月28日発行

〔責任編集〕敦賀美奈子
（＊イラスト）　A　N　表紙
「れ組スタジオ東京」の未来　男社会に対抗できる強力なコミュニティ作りを！　柳原　リン　1
カードの表と裏　草間　けい　2
「れ組スタジオ・東京」の明るい未来　葉月いなほ　3
幽霊の正体みたり枯尾花　広沢　有美　4〜5
「れスタ号」応答せよ！　か　ぐ　ら　6
れスタの現在、れスタの未来　大原なぎさ　7〜8
つるちゃんの趣味のコーナー　秋の夜、自宅でゆっくり映画などいかが？　8
二周年記念！　東京国際レズビアン会議〈通称レズビアン・ウィークエンド〉のお知らせ　8
れ組通信購読者アンケート報告　敦賀美奈子〈編〉　9〜10
「れ組スタジオ・東京」の現在と未来　大久　ゆう　11
れスタの現在と未来について　存原　涼　12
ああ！　カムアウト！　松本泉〔エム〕　13〜16
夜想　〔……A……〕　16
『れ・スタ』における維持会員の役割とは？　高橋　瑛子　17
全国れ組ネットワーク情報　18
編集者のひと言　つるがみなこ　18
情報のひろば　裏表紙

第８号 １９８７年10月28日発行

〔責任編集〕存原涼／神楽ぢゃむ

レズビアンと人間関係　存原　涼　1〜2
まじめＳＭ対談　レズビアンが素顔になるには　Ｓ／Ｍ　3〜4
恋愛イデオロギーの彼方　松本　泉　5
「恋人」より大好きなあなた　高橋　瑛子　6
仕事場での『わがレズビアン宣言』　葉月いなほ　7〜8
しごとの周辺　新しく来る人（落合恵子『朝日新聞』１９８７年10月26日付夕刊）　8
同性愛の劇作家の悲劇的生涯を描く「ブリック・アップ」（『読売新聞』１９８７年10月19日付夕刊）　8
（＊詩）りんご　Ｒｙｏ　8
世界を旅するダイクたち　ひろこ　9〜10
〔お知らせ〕　10
「満員御礼」　優生保護改悪阻止連「女のからだから合宿」分科会　「レズビアンの時間」　つるがみなこ　11〜12
「女のからだから合宿」参加報告　井中　ふる　13
『なごり雪』を観て　岸　黎子　14
男装の麗人シリーズ１　アテネのアグノダイス　きよこ　14
文句ばかりの『なごり雪』劇評　敦賀美奈子　15
あるレズビアンの秘かなる楽しみ……？　勝手にシリーズ①　ＩＮＯ　16
思いっきりしゃべろう会レポート　女の解放はレズビアンの解放か　葉月いなほ　17〜18
編集後記　かぐら／あいはら涼　18
情報ひろば　裏表紙

第９／10号（合併号・年末特大号）　１９８７年12月10日発行

〔責任編集〕大久ゆう／なぎさ／ＲＩＮ

今月のテーマ　レズビアンと共同生活　大久ゆう／なぎさ／ＲＩＮ　0
レズビアンと共同生活
レズビアンマザーと暮そう！　ＲＩＮ　1〜2
インタビュー　鏡に映る♀♀現代史　Ｆ　3〜6

ないものねだりの共同生活　かぐら　7
共同生活の心得一覧表　8～9
ケーキは同じ種類のものを　望月しのぶ　10～11
七年目のふたり暮らし　広沢　有美　12～13
私の経験から　みえ子　14～15
共住日記　あいはら涼　15
シングル♀♀にきいてみると　16～17
私の共住感覚　まる　18
人間の暖かみから離れない地域共同へ　泰　19～22
只今、シングルライフ実験中　早雪　23
丹沢ハイクに参加して RST INTERNATIONAL ハイク　ひ・と・み　24
全米・全世界から70万人ワシントンDCに結集！　1987レズビアン・ゲイ権利獲得マ～チ　ジェニファー／なぎさ（まとめ）　25
（＊写真）愛と生命をかけて　もう隠れはしないゾ！　"FOR LOVE AND FOR LIFE WE'RE NOT GOING BACK"　26～27
値上げ賛成！　チック・タック　28
れ組通信購読の仲間たちへ　泰　28～30
読者の手紙から　ゆり子／フレデリーク　30～31
編集だより　32
情報ひろば　33
〔お知らせ〕れスタCALENDAR　1987・12～1988・1　裏表紙

第11号　1988年2月1日発行

〔責任編集〕敦賀美奈子
（＊イラスト）　高橋　暎子　表紙
レズビアンと人間関係　存原　涼　1～2
編集前記　Sexは、コミュニケーションの手段である。　敦賀美奈子　1
性関係を持つと関係は変わるのか　―アンケートから―　2～5
わたしにとってのエロス　なぎさ　6～7
れスタ翻訳チームを作ろう！　7
読後感想　猫田　光　8
〔お知らせ〕　8
思いっきりしゃべろう会「タチ・ネコって何？

タチからの言い分」　かぐら／存原　9〜12
〔お知らせ〕映画上映会　12
OUT OF ROMANTIC LOVE　しゃべろう会報告記　松本　泉　13〜14
〔お知らせ〕今月のおもいっきりしゃべろう会　13
「女あんたが主人公」を読んで　か ぐ ら　14
〔お知らせ〕『からだ　私たち自身』８月刊行のお知らせ　14
アウシュビッツの女囚　映画紹介　町野　美和　15
第九回ダイクウイークエンドin府中青年の家 '87　11／28〜11／29　存原／Ryo（イラスト）　16
〔お知らせ〕静岡の『ＡＭＩＥ』を読んで、読んで♡　16
〔お知らせ〕レズビアン・セックスを知る本　16
レズビアンと女の運動　女のグループの中でのレズビアンの立場　ＭＯＭＯ　17〜18
〔お知らせ〕３月は京都の月どすえー！　17
〔お知らせ〕２月のカレンダー　裏表紙

第12号　1988年3月1日発行

〔責任編集〕大久ゆう／葉月いなほ

レズビアンの輪を広げ　育てていこう！　大久ゆう／葉月いなほ　1〜4
インタビュー　よりよいコミュニティ作りをめざして　大久　ゆう　4〜5
搾取と自己犠牲　―「月の出をまって」を見て―　町野　美和　6〜8
お知らせ　カ リ ド　8
読者より投稿　Ｎ・Ｅ　9〜10
シングルにも言わせてね　〔……Ａ……〕　11〜12
大久のちょっとだけ　大久　ゆう　12
れ組スタジオのスタッフの皆様へ　みほ／いなほ　13
「第十回レズビアン・ウィークエンド」にオルガナイザーとして参加して　い く よ　14
いくよさんとの一問一答　いくよ／いなほ　14
いまだから言えるれスタ・キッチン事情　れスタ財政の解説　なぎさ／遊　15〜17
スタッフ紹介コーナー　18

編集後記　大久ゆう／葉月いなほ　18
〔お知らせ〕―催しもの―　18
〔お知らせ〕３月のカレンダー　裏表紙

第13号　１９８８年４月９日発行

〔責任編集〕草間けい
今月号のテーマ「レズビアンと表現」について　草間　けい　2
レズビアンと表現
レズビアンを表現しよう　草間　けい　2～4
レズビアンと表現活動　〔……Ａ……〕　5～9
（＊詩）涙 Lesbian's love　読者投稿詩　Ｈ　9
冬眠おしまい宣言　広沢　有美　10～16
〝連帯を求めて、孤立を恐れず〟　葉月いなほ　17～22
私は嘘が嫌いだ！　敦賀美奈子　23～24
あまり書きたくないけと簡単に　大久　ゆう　25
なぎさの〝よい子〟廃業宣言　な　ぎ　さ　26～27
〔広沢・草間様……〕　Ｒ　Ｉ　Ｎ　28～29
レズビアンの解放について　存原　涼　30
〔お知らせ〕京都３月６日「あなたがつくる女のフェスティバル」カンパ報告とお礼　30
原点に戻って　岸　黎子　31
レズビアンの未来を信じて　中村　遊　32～33
『月の出をまって』　Ｒ　Ｉ　Ｎ　34～35
（＊詩）エス／修学旅行〔連作散文詩『さにつらふ』より〕　石井　須奈　36
「女のフェスティバル」に参加して　ＫＯＫＯ　37
れ組スタジオ東京　１年目の歩み（'87年３月～88年３月）　あいはら　38
れスタの総会に参加して　Ｍ・Ｊ　39
情報コーナー　裏表紙
編集後記　草　間　裏表紙

第14号　１９８８年５月５日発行

〔責任編集〕敦賀美奈子
第３回「女のフェスティバル」分科会リポート
ゲイリブとフェミニズムは出会えるか??　Ｒ　Ｉ　Ｎ　1～6

ゲイ・フェミニスト・レズビアンの出会いの第一歩として つるがみなこ（まとめ） 7～11
〔実は…「ゲイ・リブとフェミニズムは…」というタイトルを……〕 な ぎ さ 12
生き生きとした生き様に勝るものはない 節 子 12
ゲイと一緒に活動している♀♀♀「O.C.C.U.R. アカー」 動くゲイとレズビアンの会 なぎさ&つるが（インタビュー） 13～14
女のグループ紹介 阻止連 13～14
エイズ予防法案に反対しよう！ エイズは「天罰」でも「一部の人々の問題」でもありません!! 15
関西での初めてのウィークエンド オルガナイザーとして 奈良のあっちゃん 16
レズビアン・ウィークエンドに初めて参加して ねこたひかる 17
おんな、♀♀の運動の中における個と共同性 か ぐ ら 18～19
ガサ（家宅捜索）の真実 菊地かおり 20
れ組スタジオ・東京総会報告 敦賀美奈子 21～22
れ組通信 有料伝言板 22
5月中旬～6月中旬のカレンダー 裏表紙
編集後記 つ る が 裏表紙

第15号　1988年5月31日発行

〔責任編集〕存原涼／神楽じゃむ
レズビアンと仕事 アンケート結果 1～2
ひらいていこう おんなのしごと 存原／かぐら（インタビュー） 3～4
第12回埼玉♀♀ウィークエンド分科会レポート ウィークエンドをよりスムーズに運営するために 敦賀美奈子 5～6
分科会リポート「年を重ねること」「シングルを生きること」 い な ほ 7～8
（＊詩）姉妹 涼 8
女のまつりに参加して WANDER 9～10
ウィークエンド新人インタヴュー①② 9～10
思いっきりしゃべろう会レポート 四月十七日

『れ組通信活用法』　存原／かぐら（まとめ）　11
ウィークエンド新人インタヴュー③　11
（＊詩）母の日に、母に贈る歌　みゆき　12〜13
〔お知らせ〕　14
編集後記　かぐら　14
情報ひろば　裏表紙

第16号（特集エイズ）　1988年7月2日発行

〔責任編集〕大久ゆう／葉月いなほ
特集エイズ　エイズ法案になぜ関わるのか　大久　1〜2
エイズ（AIDS）とは　1〜2
何故、今エイズなのか　いなほ　2
（＊マンガ）エイズ法案はこれ　大久ゆう　3〜4
集会レポート　みんなでぶっつぶせ!!　エイズ予防法案　葉月いなほ　5〜10
読者のみなさんへ　マスコミのこと　10
全国へモフィリア（血友病）友の会の保田行雄氏に聞く　大久ゆう　11〜12
ゲイの立場から　新美毅さん（23才）・アカー（動くゲイとレズビアンの会）へのインタビュー　いなほ／大久（インタビュー）　13
エイズ問題について　スタッフから一言　リン／神楽／敦賀／存原／中村　14
1988・5・22　三浦半島ハイキング　睦会　15
レズビアンと自営について　あるレズビアンの問いかけから　かぐら　16
運営会議レポート　6月5日　かぐら　17
新スタッフ紹介　風杏　18
編集後記　いなほ／大久　18
7月のカレンダー　裏表紙
〔お知らせ〕情報コーナー／有料伝言板　裏表紙

第17号　1988年8月1日発行

〔責任編集〕敦賀美奈子
（＊イラスト）　RIN　表紙
母（あなた）が悪いわけじゃない、わたしが選

んだ道だから、娘は生きますレズビアンの道
カムアウト、私の場合　思いっきりしゃべろう会より　敦賀美奈子　1〜5
母へのカムアウト　み　ほ　6〜7
（＊詩）距離　存原　涼　7
「母へのカムアウト」にかえて「これでいいのか、わるいのか、ああ、カムアウト」　か　ぐ　ら　8
四十年目のカムアウト　R　I　N　9〜10
カムアウトって何だっけ　町野　美和　11〜13
編集後記　つるちゃん　13
別れの歌が聴こえる　短編その1　あいはら涼　14
1988・6・26　れ組スポーツデー　し　の　15
〔お知らせ〕文通欄／れ組通信有料伝言板　15
女たちの『からだから合宿大阪』・レズビアン（♀♀）分科会に関わって　共同作業について　井中　ふる　16〜17
女（わたし）たちとわたし　百河ヒロミ　18
今月もしつこく「エイズ・コーナー」だよ　19
きょうエイズ法案反対デモ「潜在化を助長する同性愛者も初参加」（『毎日新聞』1988年7月10日付）　20
7／18（月）厚生省へ抗議に行きました!!　葉月いなほ　20
運営会議レポート　1988年7月3日　風　杏　21
「特集〝セバレティズム〟ってなあに?」
〔原稿募集中〕かぐら／大久ゆう／いなほ／あいはら／風杏／つるが　22
〔お知らせ〕情報ひろば／れスタ歴　1988・夏休み　裏表紙

第18号　1988年9月1日発行

〔責任編集〕風／なぎさ／RIN
報告　しゃべりが苦手な人の為のワークショップから　R　I　N　1
読者の皆様からのメッセージ　2
運営会議レポート　1988年7月30日夜　い　な　ほ　2

英語版　海外情報　3～4
文通コーナー　5
れ組通信バックナンバー紹介　6
9月の〈れスタ〉CALENDER 1988.　裏表紙

第19号　1988年10月1日発行

（＊イラスト）　Ｏｈｈｉｓａ　表紙
セパラティズムについて考えよう　あいはら涼　2
セパラティズムについて考えよう
　ふたりだけの世界から　Ｍ・Ｙ　3
自分の中の偏見　大久ゆう　4
♀♀アイデンティティーからの出発　かぐら　5～6
セクシュアリティーの解放のために「カムアウトってなんだっけ」を読んで　知白　7～9
いのちの祭り No Nuke one Love　いの／しの　9
メキシコの♀♀との出会い　井中ふる　10
映画評　私にとっての『ハーヴェイミルク』　敦賀美奈子　11
書評『黒人として女として作家として』クローディア・テイト編、高橋芽香子訳、晶文社　ＲＩＮ　12～13
エイズ予防法案とは　14
どうなってるの?!　エイズ予防法案　葉月いなほ　15
意見書「エイズ予防法案を廃案に！」
　エイズ予防法案を廃案にする女たちの会（仮）　16
〔お知らせ〕文通欄／れ組通信有料伝言板／読者からのメッセージ　17
れスタ当番日誌　18
〔お知らせ〕9月の運営会議リポート　存原　19
〔お知らせ〕情報ひろば　20

第20号　1988年11月5日発行

〔責任編集〕風杳／葉月いなほ／大久ゆう
（＊イラスト）　Ｏｈｈｉｓａ　表紙
天皇報道の異常を憂う　中村遊　2～3
大久のひとこと　3
許せない！……「エイズ予防法案」ついに衆

院で強行採決！　葉月いなほ　4〜5
法案反対運動の中から見えてきたもの　葉月いなほ　6
〔〃セパレイティズム〃という言葉を調べてみました……〕　大　久　6
セパレティズムについて　ＴＯＭＯＥ　7
今月の特集　読者からの手紙１　猫田　光　8〜9
有料伝言板　9
今月の特集　読者からの手紙２　神峰えりか　10
読者からの手紙３　ウィークエンドの感想　野々芽　11〜12
読者からの手紙４　しゃべれない人のしゃべろう会に参加して　和　彦　12
読者からの手紙５　前略スタッフの皆様　Ｕ・Ｏ　13
私の中の『三美神』　ひろこ　14
スタッフになって思うこと　風　杏　15〜16
10月の運営会議スケッチ　ひろこ　17
れ組スタジオ・東京　収支報告／１９８８年３月〜10月まで　なぎさ　18
文通コーナー　19
〔お知らせ〕11月のカレンダー／情報コーナー　裏表紙

第21号　**１９８８年12月１日発行**

〔責任編集〕敦賀美奈子

（＊イラスト）　表　紙
初めてレズビアンに会った頃から　菊池　絹代　1〜3
（＊詩）きのうのこと　りょう　3
気まぐれ連載その一　失われた自己を求めて　敦賀美奈子　4
ありのままの自分を　風　杏　5
〔お知らせ〕　6
フェミニズム極めてみればレズビアン　映画『リアンナ』をみて　町野　美和　7〜8
れスタはあなたを求めているのだ！　スタッフから会員・読者の皆さんへ送るラブコールⅠ　あいはら　9〜10
（＊イラスト）ウィークエンドの人々　山田　仁子　11

第14回レズビアン・ウィークエンドについて　つるが　12
『THE NEW OUR BODIES, OURSELVES 日本語版』〔『からだ・私たち自身』広告〕　13
のりこちゃんのために。　ユカ　14
エイズ予防法案廃案の声をあげよう　15
エイズ予防法案はいらない！　いなほ　16
れスタ運営会議で話合ったこと……　なぎさ　17
編集後記　つるが　17
〔お知らせ〕文通欄／れ組通信有料伝言板　18
〔お知らせ〕今年1988LAST CALENDAR　裏表紙

第22号　1988年12月25日発行

〔責任編集〕敦賀美奈子
（＊イラスト）　RIN　表紙
母性と性愛のボーダー・ライン（境界線）①　なぎさ　1～2
（＊カット）Joyeux Noel!　Michiko　2
ウィークエンドは♀♀の解放区なのだ!!（第14回♀♀W.E.世話役、小池うどん子さんにきく）　つるがみなこ　3～4
〔お知らせ〕れ組通信購読者地図　5
気まぐれ連載その二　失われた自己を求めて　敦賀美奈子　6
女を愛する女たち　上映会10月23日　新宿婦人情報センターにて　かぐら　7
思いっきりふれあおう会リポート　11月20日（日）　あいはら涼　8
〔お知らせ〕　8～9
レポート「売春婦の人権集会」私たちは男の玩具じゃない！　いなほ　10
抗議書　エイズ予防法案を廃案にする女たちの会　11
エイズ予防法案の動き　いなほ　12
12月の会議運営レポート　ひろこ　13
〔お知らせ〕文通欄／読者・会員からのメッセージ　14
編集後記　つる　14
〔お知らせ〕情報コーナー　CALENDAR1989　裏表紙

第23号　1989年2月5日発行

〔責任編集〕リン・なぎさ

（＊イラスト）　RIN　表紙
自然の中で生きる「やまんば」になろう！　伊藤モリヲ　1～2
女たちよ、誉めあおう　松本　泉　3～5
八月の鯨　男いらずの女の館　町野　美和　6～8
私は人魚の歌を聞いた　新着ビデオ
れ組静岡　AMIE No.9 より転載　8
『告発の行方』　8
愛するあなたへ　投函されないラヴ・レター　高橋　恵　9～10
フリーボックス・コーナー「ウィークエンド症候群」の処方せん教えて！　K　11
第15回ダイクウィークエンドに参加して　浜田　逸美　12
海外文通　13
はじめまして、新スタッフです　小川　みほ　14
読者からのメッセージ　15
エイズ予防法成立‼　いなほ　16
情報ひろば／れ組通信有料伝言板　17
スタッフ会議から　'89 1／8（日）　いなほ　18
編集後記　RIN／なぎさ　18
〔お知らせ〕CALENDAR1989・2～3　裏表紙

第24号　1989年3月1日発行

〔責任編集〕つる

（＊イラスト）　Michiko　表紙
♀♀ファッション考　望月しのぶ　1～2
テレビ「笑っていいとも」から　ちょっと余談ですが　2
ネクタイしめてどこが悪いのよ　猫田　光　3
水からあがった女（『ルリダ』より転載）　ユ　カ　4
ファッションについて考えてみよう　4
『告発の行方』　町野　美和　5～6
あのー、私ヘテロなんですけど……　木谷　麦子　7～9
フリーボックス・コーナー　人前でレズビアン

と言えない私　横浜　M子　9
気まぐれ連載その三　失われた自己を求めて　敦賀美奈子　10
宗教と同性愛について思うこと　石井　須奈　11〜13
レズビアンの愛　山川　渓　11〜13
〔お知らせ〕　13〜14
はじめて関西WEEKENDに参加して　茶　汲　み　14
1月埼玉 the 16th Lesbian Weekend　オルガナイザー体験記1　小川　みほ　15〜16
9月は名古屋でウィークエンド　望月しのぶ　17
ショート・ストーリー　アニーの思い出　あいはら涼　18〜19
2月のスタッフ会議（1989・2・5）　つ　る　が　20
〔ご大層な一日であった……〕　カ　リ　ド　20
黎明期　中村　遊　21〜22
編集後記　つ　る　が　22
〔お知らせ〕　裏表紙

第25号　1989年3月31日発行

〔責任編集〕いなは／みほ
（＊イラスト）　太　久　表　紙
第4回／京都女のフェスティバル「ヤクシュアリティは選べるかつくれるか?」に参加して　R　i　n　1〜2
ヤンチャなあたしたちは今日も元気！　京都・女のフェスティバル報告　M　O　M　O　3
葉月もちょっと一言　葉　月　3
女のフェスティバルに参加して　浜田　逸美　4
DDは金に困っている　ジョニィ・ヴァン・ダイク／カリド（訳）　5〜6
落合恵子さんへの私信　中村　遊　7〜9
フリーボックス・コーナー　9
書評『愛しすぎる女たち』ロビン・ノーウッド著、落合恵子訳、読売新聞社　葉月いなほ　10〜11
「私は女を知っている」　い　な　ほ　11
1月埼玉 the 16th Lesbian Weekend　オルガ

ナイザー体験記２　小川　みほ　12～13
読者の手紙　呉　葉　14
あの感激をあなたにも……３／19（日）れスタ
総会　いなほ　15
スタッフ会議報告　３／12（日）　葉月いなほ　16
情報ひろば　17
〔お知らせ〕　18～裏表紙
〔お知らせ〕４月のカレンダー　裏表紙
編集後記　小川　みほ　裏表紙

第26号　１９８９年４月25日発行

〔責任編集〕敦賀美奈子

（＊イラスト）　Ｍｉｃｈｉｋｏ　表紙
会いたかったぜい！　Ｍｉｅ　１～４
恋人と出会うために　ルウシップ　５
れ組スタジオスタッフのみなさんへ　ルウシップ　６
（＊詩）おびえながらあたしを愛しなさい　二本木由美　６
失恋記念日によせて　野々芽　７～８
〔お知らせ〕れ組通信有料伝言板＆文通欄　８
Surpassing The Love Of Men『男への愛を越えて』序文抄訳　Ｍｉｃｈｉｋｏ（訳）　９～10
気まぐれ連載その四　失われた自己を求めて　敦賀美奈子　11
１月埼玉 the 16th Lesbian Weekend オルガナイザー体験記３　小川　みほ　12～13
だから私は、ＷＥ（ウィークエンド）の日程表をあなたには見せません　高橋　恵　14～15
れ組スタジオ・東京　この１年間の活動（'88年４月～'89年３月）　小川　みほ　16
れ組スタジオ・収支報告（１９８８年11月～１９８９年３月迄）　なぎさ　17
スタッフ会議報告（４月９日）　大　久　18
編集後記　つるが　18
〔お知らせ〕　裏表紙

第27号　１９８９年６月25日発行

〔責任編集〕地方特集　井中／望月

地方特集　井中　ふる　1
地方特集
　レズビアン風土記　京都篇　ひろみ　2〜4
　（＊イラスト）　土手すすき　5
　殻を破りたい　テレジア　6
　Tさんへ　地方のレズビアンフェミニストより　井中　ふる　7〜11
地球に堕ちてきた天使たちへ　ANGEL　12
イチゴと利尿作用の関係　RYOTA　13
失われた自己を求めて（番外編）〔敦賀美奈子〕　14
お姉様文化とシスターフッド文化／フェミニズムに出逢わなければ生きていけなかった　沙　芙　緒　15〜16
5月の運営会議リポート　RIN　17
れれれっ？　スタッフ解体！　6／4　2時「れスタ」運営会に出かけよう　な　ぎ　さ　17
〔お知らせ〕れ組通信有料伝言板＆文通欄　18
〔お知らせ〕6月のカレンダー　裏表紙

〔責任編集〕敦賀美奈子

第28号　1989年7月1日発行　〔責任編集〕大久／美由紀

（＊イラスト）　美　由　紀　表　紙
レズビアンは装う　ファッションアンケート結果より　大　久　2〜7
私のファッションのーと　高橋　瑛子　8〜9
たかが服装？　猫田　光　10〜11
読者より　11
♀♀はパリ・コレの夢を見るか　二本木由美　12
オナベとオカマ　沙　芙　央　13〜15
〔お知らせ〕おしらせコーナー／情報コーナー／伝言板　16〜17
編集後記　美由紀／大久　16
オープン制　第1回れスタ運営会議　小　川　18〜19
〔お知らせ〕7月のカレンダー　裏表紙

第29号　1989年8月5日発行

〔特集編集〕高橋　恵
（＊イラスト）　美由紀　表紙
中村遊さん大いに語る　5月しゃべろう会
「ザ・レズビアン・サバイバル　女を愛して
生き抜くこと」より　中村　遊　1〜9
断片　あるてみすおおみかみ　9
女を愛する至福　高橋　恵　10〜11
気まぐれ連載その五　失われた自己を求めて　敦賀美奈子　12
ウィークエンド再考　町野　美和　13〜14
集まれ！　愛知ウィークエンドに　井中　ふる　15
第二回コミュニティ・キャンプに参加して　1
989・5・3〜5日（ふれあい合宿）　AZU　16
〔キャンプに参加して〕　Eiko　16
運営会議レポート①（7月2日）カリド／RIN　17〜18
運営会議レポート②（7月30日）　敦　賀　17〜18
会員・読者からのメッセージ　18
〔お知らせ〕　裏表紙

第30号　1989年9月10日発行

〔責任編集〕小川みほ
（＊イラスト）　ウメちゃん　表紙
セクシャリティは分からないけど、♀♀といい
関係作れたら……　7月16日（日）の思いっ
きりしゃべろう会より　小川　みほ　1〜5
しゃべろう会を終えて　矢口　調　6
私がしゃべろう会を主催した理由　小川　みほ　7
私は自分の性的指向を決めません　矢口　調　8〜9
しゃべろう会に参加した人からの感想
BITA　9
情報ひろば　9〜10
（＊詩）女のままで
あさとりすみえ（作詞・作曲）　10
断片（続）　あるてみすおおみかみ　11〜12
「同性愛」についての「一般用」アンケートに
抗議しました！　13
「人間と性」教育協議会、「同性愛プロジェクト」
の皆さんへ　大原なぎさ　14〜16

れ組通信有料伝言板&文通欄　17
運営会議レポート　9月3日　小　川　18
〔お知らせ〕　裏表紙
編集後記　小川　みほ　裏表紙

第31号　1989年10月発行

〔責任編集〕小川みほ
（＊イラスト）　RIN　表　紙
特集　ときめきの東北合宿　RIN　1～2
〔合宿参加者より〕　朱実／土手かぼちゃ／礼子　3～5
〔お知らせ〕　6
会いたかったぜい！再び！　Mie　7～8
講座・四人のレズビアン　沙芙央　9～11
〔合宿参加者より〕　Michiko／スーザン　9～10
文通コーナー　埼玉の忍　11
メキシコからの悪いニュース〔シルヴィー・ランジェさん訃報〕　さふお〔訳〕　12
♀♀用語集その1　アルテミス／天照大神　12
スウェーデン見聞録　その1　望月しのぶ　13～14
（＊詩）痛み　Karin Boye/Kiyoko〔訳〕　14
お便りのページ　スーザン／仙台の読者／y・m　15～16
〔お知らせ〕　16
れ組スタジオ・東京参加資格マニュアル　17
運営会議レポート　10／1（日）　いなほ　18
〔お知らせ〕10月11月カレンダー　裏表紙

第32号　1989年11月10日発行

〔責任編集〕敦賀美奈子
（＊イラスト）　Alison Bechdel/Cath Jackson　表　紙
東大フェミニズム講座「レズビアン・フェミニズム」発言抄録　カリド／中村／敦賀／なぎさ　1～8
（＊映画評）　からん　9～10
スウェーデン見聞録その2　望月しのぶ　11～12
I'm a lesbian　青池　ユカ　13～14
（＊カット）　MICHIKO　13
尊敬という名の木に咲く花　菊地　朱実　15
回答書
「人間と性」教育研究協議会同性愛プロジェクト　15～16

運営会議レポート（10月29日、午後2時〜6時）　小　川　17
〔お知らせ〕　18
編集後記　敦　賀　18
〔お知らせ〕RST11〜12月カレンダー（書き込み用）　裏表紙

第33号　1989年12月10日発行
〔責任編集〕敦賀美奈子
（＊イラスト）　し　の　表　紙
序章と終章　投函されたラヴ・レターから　高橋　恵　1〜2
生への意志に捧げる　伯母に関する覚書　敦賀美奈子　3〜5
〔お知らせ〕　6
誰のためのれ組通信？　り　か　こ　7
（＊詩）E・G・O　林　可南子　8
〔お知らせ〕　9〜10
気まぐれ連載その六　失われた自己を求めて　敦賀美奈子　11
〔お知らせ〕退会者の扱いに関する取り決め（試案）　12
〔こんにちは　会員のFUMIKAです……〕　FUMIKA　13〜14
劇評『ニープタイド』　麻美　トラ　15
仮面をはずしたくて　世里　愁　16
れ組通信文通欄　16
運営会議リポート　12月3日（日）　カ　リ　ド　17
エイズ・パンフ完成♀♀／パンフを作ってみて　葉月いなほ　18
〔お知らせ〕12〜1月カレンダーRST　裏表紙

第34号　1990年1月20日発行
〔責任編集〕葉月／三谷
（＊イラスト）　し　の　表　紙
新春によせて
　みんなだいすきよ　三　谷　2
　年頭所感　矢口　調　2

今年望むこと　小川　みほ　3
やりたいことをやる！　い　な　ほ　3
あなたもれスタにきませんか　高橋　恵　4
恋人との別れ
ポリー・ケロッグ／葉月いなほ（訳）　5～7
編集後記　三　谷　7
バンクーバーの素敵な女たち　カナダフィルム
フェスティバル　中野　理恵　8～10
マグノリア　11
I am what I am　映画『トーチング・トリロジー』
を見て　麻見　トラ　10～11
レズビアン＝女の視点でインセスト＝性的児童
虐待を考えてみよう！　い　な　ほ　12
ジョニさんとのインタビュー　葉月いなほ　13～15
ラベンダー　ホームシック　青池　ユカ　16～17
小さいころから心引かれた相手は女性ばかり。
同性愛をどう克服したらよいか教えて……！
宮迫千鶴（『COSMOPOLITAN』1990年1
月20日号より）　17
情報コーナー　18
運営会議レポート　1月7日（日）2～5時
い　な　ほ　19
〔お知らせ〕RST1～2月のカレンダー　裏表紙
編集後記　その2　いなほ　裏表紙

第35号　1990年2月20日発行

〔責任編集〕小川みほ
（＊イラスト）　ウメちゃん　表　紙
あなたもれ組通信の編集に参加できる
れ組通信　編集マニュアル　大久　ゆう　1
私はどのようにレズビアンか　矢口　調　2～4
レズビアンの切手を作ろう　矢　口　5～6
ANSWER　世里　愁　6
れスタに届いたお便りから　Ｍｉｃｈｉｋｏ　7～8
（＊カット）　Ｍｉｃｈｉｋｏ　9
気まぐれ連載その七　失われた自己を求めて　9
敦賀美奈子　10
メイキング・オブ失われた自己を求めて
〔敦賀美奈子〕　11

今度、れスタの当番に入ることになった深津美根子さんです。 深津美根子 12
お元気ですか いなほ 13
♀♀の視点から見えてくるもの 望月しのぶ 14~15
情報ひろば 国際婦人デー 第5回あなたがつくる女のフェスティバル 16
編集後記 小川 みほ 16
れ組通信有料伝言板&文通欄 17
運営会議レポート 2月4日(日)2時~4時半 小川 18
〔お知らせ〕1~2月のカレンダー 裏表紙
〔責任編集〕敦賀美奈子
(*イラスト) しの 表紙

第36号 1990年3月10日発行

アドリエンヌ・リッチ合宿読書会(1月14~15日)から 敦賀 1~5
対談 レズビアンの声! 敦賀美奈子/高橋恵 6~8
『れ組通信』バックナンバー(No.25~35) 9~10
書評 沢部仁美著『百合子ダスヴィダーニャ 湯浅芳子の青春』 町野美和 11~12
「解放」についての私的考察 A子 13
〔お知らせ〕れ組通信有料伝言板&文通欄 14
忘れられない人 菊池絹代 15
No35掲載原稿のお詫び 矢口調 15
THE SEA GULL LESBIAN レズビアンはどこにでもいる カリド 16
しのちゃんの絵日記 3月6日(火)晴れ しの 16
運営会議リポート(3月4日) カリド 14
〔お知らせ〕 15
〔お知らせ〕3月~4月のカレンダー 裏表紙
〔責任編集〕しの/三谷
(*イラスト) りん 表紙

第37号 1990年4月10日発行

この春4年目に突入! れ組スタジオ・東京第3回総会報告 三谷/しの 2

運営会議リポート（4月1日「れスタ」総会における公開会議）　敦　賀　3
レズビアンの世界史を執筆中！のアメリカのレズビアンから資料を募るお便り　3
れ組スタジオ・東京　この1年　4
れ組スタジオ・東京　会計報告　大原なぎさ　5
ビデオと本の紹介　6〜7
〔お知らせ〕　8
編集後記　三　谷　8
連続幼女殺人事件に思う　町野　美和　9
90 3／1　京都　第5回あなたがつくる女のフェスティバルに参加したはなし　Ｓｈｉｎｏ　10〜11
『れ組通信』バックナンバー（No.18〜24）　12
レズビアン・コミュニティ　マーガレット・ディール／矢口調（訳）　13〜14
スザンヌへのインタビュー　私にとってレズビアン・コミュニティとは　スザンヌ／高橋恵　14〜15
世界が広がる、合同ウィークエンド　町野／敦賀　15
愛知からの声　冬芽らし　16〜17
Ｎさんからの初めての手紙　Ｎ　18
情報コーナー　19
〔お知らせ〕4〜5月のカレンダー　裏表紙

第38号　1990年5月20日発行

〔責任編集〕小川／ひとみ

（＊イラスト）　ウメちゃん　表　紙
『百合子・ダスヴィダーニャ』を読んで思うこと　Ｋｕｊｉｌｌａ・Ｋ　1〜2
レズビアンウィークエンドに参加して　ラージ・Ａ　3
東京都教育委員会と教育長に公開質問状を発送　町　野　4
公開質問状（1990年5月7日）　れ組スタジオ・東京　5〜6
図書紹介コーナー　小川　みほ　7〜8
『れ組通信』バックナンバー（No.2〜17）　9〜10
『れ組通信』のみなさま、　大島かおり　11
れ組通信・有料伝言板&文通欄　12

情報コーナー 13
運営会議レポート　5月3日　ひとみ 14
〔お知らせ〕ＲＳＴ５～６月のカレンダー 裏表紙
編集後記　小川　みほ 裏表紙

第39号　１９９０年6月15日発行

〔責任編集〕敦賀美奈子

（＊イラスト）　ｓｈｉｎｏ 表紙
自宅でしゃべろう会「友情？恋愛？　女と女の関係性」　敦賀美奈子 2～8
（＊詩）出てこいレズビアン達！　野　良 9
かけがえのない自分との出会い　町野　美和 10～11
わが憧れのマルチナ・ナブラチロワとその彼女を見て　ミーハー・ブラック・ジャック 12
気まぐれ連載その八　失われた自己を求めて　敦賀美奈子 13
れ組ハイク真鶴半島ツアーに参加して　新宿のアリス 14
新刊紹介 14
れ組通信・文通欄 15
なくそう!!　同性愛差別　東京都「青年の家」使用不許可撤廃をかちとろう 16
〔お知らせ〕 17
運営会議レポート（6月3日） 18
〔お知らせ〕 19
〔お知らせ〕6月・7月のカレンダー 裏表紙

第40号　１９９０年7月25日発行

〔責任編集〕葉月／矢口

（＊イラスト）　ちさこ 表紙
ターニングポイント　ユ　キ 2
アリス誕生!!　アリス探訪記　い 3
お元気ですか……　いなほ 3
自分を愛すること　キムコ 4～5
「ＩＬＩＳ」翻訳分科会　御報告　月森　銀 6
地方・高知からこんにちは『ハーヴェイ・ミルク』を上映して　世里　愁 7～8
感激！　ベルサイユのばら　麻美　とら 9

ドイツからの手紙　1990・2・22　K・B／ミキコ（訳）　10
〔海外からの手紙〕　11
情報コーナー　12〜13
文通希望&伝言板　14
運営会議レポート　7月1日（日）午後　15
読者からのお便り　麻　衣　15
表紙のことば　ちさこ　15
〔お知らせ〕夏のカレンダー　裏表紙

第41号　1990年8月20日発行　〔責任編集〕しの／三谷
カミングアウト・ストーリー①　よ　ね　2〜4
サンフランシスコ便り①　フィニックスの夜　ペンディトン　5〜7
スウェーデン見聞録「女の学校」忘れた頃のその3　望月しのぶ　8〜10
レズビアンが斬る！　新刊解剖『日本語は女をどう表現してきたか』　11
れ組スタジオ・東京　英文チラシ　キムコ（訳）　12
〔お知らせ〕新宿二丁目　our spot!　13
海外からのお便り　姉妹たちへ（1990年4月18日）　Bette Doiron／キムコ（訳）　14
海外からのお便り　アムステルダム大学同性愛学文書センターからの手紙（1990年6月20日）　ジャック・V・D・W／いなほ（訳）　15
〔お知らせ〕文通希望の方　15
読者のページ　箱根の坂はきつかった（7月22日）　アリス　16
読者のページ　江ノ島合宿　NAKA　16〜17
読者からのお便り　かえる　17
れ組通信40号　読後感想会　ひとみ（まとめ）　17
運営会議レポート　8月5日（日）午後2時〜　18
〔お知らせ〕情報コーナー　19
〔お知らせ〕8月・9月のカレンダー　裏表紙
編集後記　三谷／しの　裏表紙

第42号　１９９０年９月20日発行

〔責任編集〕敦賀美奈子
しの　表紙
（＊イラスト）
女のからだから合宿九♀に参加して　月森　銀　２〜３
「私はレズビアンです」と言うこと　敦賀美奈子　４〜６
れ組ハイク　ワシントン女性芸術美術館展報告　町野　美和　６〜９
気まぐれ連載その九　失われた自己を求めて　敦賀美奈子　10
レズビアン用語の基礎知識　その１　レズビアン用語の基礎知識編集グループ　11
（自称）「フェミニスト」ってなんなのさ　敦賀美奈子　12
何のための「のぞき穴」？　つる　13
レズビアンはこう考える　府中青年の家における「同性愛者差別事件」とれ組スタジオ・東京（『婦人通信』８月号より転載）　高橋　恵　14〜15
〔お知らせ〕れスタは、地域活動をお手伝いします　16
れ組通信有料伝言板＆文通欄　17
運営会議レポート　９月９日（日）つるが　18
レズビアンのレズビアンによるレズビアンのためのオリジナル芝居を作ろう　19
編集後記　つる　19
〔お知らせ〕　19
〔お知らせ〕９月・10月のカレンダー・　裏表紙

第43号　１９９０年10月19日発行

〔責任編集〕恵／よね
ミシガン―東京―バンコク　力強く美しいアジアの女のネットワークを求めて　高橋　恵　２〜４
タイの♀♀グループから　いなほ／キムコ　５
タイ会議に向けて　葉月いなほ　５
アジア・レズビアン・ネットワーク（ＡＬＮ）会議　女を愛する女のアジア地域会議　フレッド（訳）　６
「タイにいきたい！」人たちの準備会議から　高橋恵（まとめ）　７

第二回愛知W・Eに参加して　世里　愁　8
9月埼玉ウィークエンド　カムアウト・サポート分科会　フレッド　9
世里愁さんに寄せて　F・M　9
9月の埼玉でのレズビアン・ウィークエンドからの報告　オルガナイザーグループ　10
意見箱より　11
主催者をやって感じたこと　9月・埼玉ウィークエンドから　泰　11〜12
ようこそ、アーンジュちゃん　さふほ　13〜15
バイブな快感はいかが　ゴマ　16〜17
運営会議リポート　10月7日（日）　高橋恵（まとめ）　18
〔お知らせ〕　18〜19
〔お知らせ〕10月・11月のカレンダー　裏表紙
編集後記　よね／恵　裏表紙

第44号　1990年11月20日発行

〔責任編集〕いなほ／小川

（＊イラスト）　みえこ　表紙
特集!!　ひとりで暮らしているレズビアン
楽しく生きたい！　いなほ　1
ひとり暮らし＝自分探し　小川　1
アンケート結果『ひとりで暮らしているレズビアン』1990年10月実施　2〜7
アンケートの結果をみて　いなほ　8
私がひとり暮らしをしているもう一つの理由　猫田　光　9
1人ぐらしの記　—90年10月11日—　井中　ふる　10
ひとり暮しをしてみると　望月しのぶ　11
「シングルの会」へのお誘い　たい　12
アリスに行ったよ　元祖ジプシー娘　13
〔お知らせ〕　13
運営会議リポート　11月4日（日）　小川みほ（まとめ）　14
いよいよ、タイ会議　い〔いなほ〕　14
〔お知らせ〕11月から12月のカレンダー　裏表紙
編集後記　いなほ／小川　裏表紙

第45号 1990年12月10日発行

〔特集編集〕Ｍｉｅ
〔その他の編集〕敦賀美奈子
（＊イラスト） Ｍｉｃｈｉｋｏ 表紙
㋹寄り合い'90 IN みちのく 季節はずれの報告記
極楽 Ｍｉｅ 2〜3
どきゅめんと 8／12〜8／13 タラコ 3〜4
サマー・タイム＆今日この頃 ＫＡＮ 4〜5
ある東北の㋹物語 遅咲きのチビ桜子 5〜7
（＊詩）〔いつもは レズビアンという言葉を……〕 Ｊｕｎ 7
花巻温泉〝寄り合い〟に参加して 凛 8〜11
なんじゃもんじゃ 編集後記にかえて Ｍｉｅ 11〜12
関西がおもろい 〜関西発信情報〜 望月しのぶ 13
文通・伝言コーナー 14
レズビアン用語の基礎知識 そのⅡ
レズビアン用語の基礎知識編集グループ 15〜17
運営会議リポート 12月2日（日） つるが 18
〔お知らせ〕 19
「宝塚ツアーに行ったぞ！」 アリス 19
編集後記 つるが 19
〔お知らせ〕12月・1月のカレンダー 裏表紙

第46号 1991年1月15日発行

〔特集編集〕月森 銀
〔その他の編集〕敦賀美奈子
（＊イラスト） 月森 銀 表紙
東海特集
私とコミュニティ 月森 銀 2〜5
ひとむかしまえのおはなし 井中 ふる 5〜6
東海地区のレディが明治村へ行ってきたよ。 不 明 6
CHRISTMAS PAERY……とT&M's 新居祝い 不 明 7
名古屋の新宿二丁目 ザ・マップ 8
逸美の初体験 独立の巻 浜田 逸美 9

家との関係　GEN　9
座談会・言いたい放題　90年12月24日
月森　銀　10〜12
女の家の夢　分科会レポート!!　冬芽らし　13〜14
編集後記　月森　銀　14
「92年5月に、東京でまた会いましょう!」A
LNバンコク会議速報　高橋　恵　15
〔お知らせ〕ザ・レズビアン・サバイバル　女を愛して生きぬくために　自主講座に参加してみませんか?
〔藤原ヒロミ〕　16
お知らせ「3月の女のフェスティバルに一緒に参加しませんか!」　雛　子　17
れ組スタジオ使用マニュアル（案）　18
文通欄&有料伝言板　18
運営会議リポート　1991年1月6日（日）
敦賀（まとめ）　19
〔お知らせ〕　19
〔お知らせ〕1・2月のカレンダー　裏表紙

第47号　1991年2月20日発行

〔責任編集〕よね／より
（*表紙）　よ　り　表　紙
特集　共同生活
かみ合わぬ欲望　つるカリ本舗　2〜3
アン&マーガ（インタビュウ）よね（まとめ）　4〜5
生活とカムアウト　一四年間の共同生活から
よ　ね　6〜8
タイALN会議レポート　タイで学んだこと
どこにでもいる、たくましい♀♀は!!　ア　リ　ス　8
レズビアン・コミュニティでの人種差別について　ち　さ　こ　9〜11
第2回ALN（アジア系レズビアン・ネットワーク）会議に向けて　〔……B……〕　12
戦争が嫌いなレズビアンのつぶやき　い　な　ほ　13
平和とシスターフッドのために　月森　銀　14

マーディ／高橋恵（訳）　15
『ウーマンラヴィング』を読んで　菊地　朱実　16
運営会議リポート　2月9日（土）午後8時　三谷（まとめ）　17
〔お知らせ〕　17〜19
編集後記　よ　ね　18
〔お知らせ〕2月、3月のカレンダー　裏表紙

第48号　1991年3月20日発行

〔責任編集〕敦賀美奈子
（*イラスト）　月森　銀　表紙
君は「白鳥」になりたくないか？　敦賀美奈子　2〜3
レズビアンプライド　カ　リ　ド　4
レズビアンへの道　ゴ　マ　5
ぷーたろー宣言　野　良　6〜9
〔お知らせ〕『れ組通信』バックナンバー（No.36〜47）　10〜11
れ組スタジオ東京　この一年　12
ニコルのために私は……　STAR PLATINUM　13
〔お知らせ〕れ組通信　文通欄&有料伝言板　14〜15
第2回ALN会議　準備会2回目報告記　アジアン・レズビアン・ネットワーク日本　沢　田　16
運営会議リポート　3月3日（日）　つ　る　が　17
〔お知らせ〕　17〜裏表紙
〔お知らせ〕3月、4月のカレンダー　裏表紙

第49号　1991年4月20日発行

〔責任編集〕敦賀美奈子
（*イラスト）　月森　銀　表紙
自分運動と社会運動　月森　銀　2〜4
カミング・アウト・ストーリー②　女との出会い　野　良　5〜7
集まれ！　いじめられっ子　敦賀美奈子　8〜9
ホモホービア「ホモホービアを終わらせるキャンペーン」より　キムコ（訳）　10〜12
世界は　JELLY ROLL!!?　〔三　谷〕　12
カムアウトを観て　月森　銀　13

愛は奪わない　関西ＹＬＰ自主講座コ・カウンセリングに参加して　みなみ　14
〔お知らせ〕　15
姉妹（あなた）たちへ For Lesbian　みなみ　15
第２回ＡＬＮ会議　準備会 in 京都　望月しのぶ　16
ＡＬＮ準備会議リポート④　三谷　17
総会&運営会議リポート（３月31日 於・新宿区立婦人情報センター）　つるが（まとめ）　18
四年目の総会を迎えて　敦賀美奈子　18
〔お知らせ〕　つるが（まとめ）　19
編集後記　カリド　19
〔お知らせ〕R.S.T. ４～５月のカレンダー　裏表紙

第50号　１９９１年５月25日発行

〔責任編集〕野良／キムコ／アリス／いなほ

（＊イラスト）　野良　表紙
50号に寄せて　井中ふる　１
私とれスタ　月森銀　１
余裕をもって　小川みほ　２
編集は楽しいよ　よね　２
Ｗ・Ｅオルガナイザー雑感　タラコ　３～４
ホモホービア『ホモホービアを終わらせるキャンペイン』より〔承前〕　キムコ（訳）　５～６
（＊詩）歩く　さぷほ　７
（＊詩）マストを下ろせ　船出のときだ　野良　８
女が女と共に生きるということ　さぷほ　９
ザ・レズビアン・サバイバル　女を愛して生きぬくために　レズビアン自主講座のお知らせ　10
れ組スタジオ会計報告　90／４月～91／３月　11
れ組通信50号記念アンケート　12～13
わくわく・ドキドキ・タイへの旅　葉月いなほ　14～16
随想　Albert Camus〔すたあ・ぷらちな〕　16～17
なんじゃもんじゃ・２「50号に寄せて」つづき　ＭＩＥ　17
いじめられっ子の会　ＬＩＰ（Lesbian in pain）スタート！　敦賀美奈子　18
〔お知らせ〕　つるが（まとめ）　19～20
ＡＬＮ準備会議リポート⑤⑥　いなほ　21

運営会議リポート　5/4（土）午後8～10時
キムコ（文責）　22
編集後記　アリス/まきはら/いなほ/野良　裏表紙
〔お知らせ〕R.S.T.5～6月のカレンダー　裏表紙

第51号（自分史特集号）　1991年6月25日発行

〔特集編集〕月森　銀
〔その他編集〕敦　賀

（＊イラスト）　T.E.SOBO　表紙
自分史を語ろう
『ブレイク』　茶々丸　2～4
自分史・まきはらの場合　まきはら・みか　4～6
30年間気付かなかったセクシュアリティを発見してくれた彼女に感謝！　アイ　7～9
編集後記　月森　銀　9
月森銀の「問はず語り」私がレズビアンを選んだこと……自己史を振り返って思うこと……　月森　銀　10～13
（＊詩）自己肯定への長い道のり　あいはら涼　14
（＊詩）十四歳・夏　あいはら涼　14
沈黙と語ること　編集後記にかえて　敦賀美奈子　15
〔お知らせ〕　15
レズビアンへの道②　ゴマ　16
運営会議リポート　6月2日（日）　つるが（まとめ）　17
ALN準備会議リポート⑦　沢田　17
〔お知らせ〕文通欄/有料伝言板　18
〔お知らせ〕　19
〔お知らせ〕R.S.T.6～7月のカレンダー　裏表紙

第52号　1991年7月30日発行

〔責任編集〕敦賀美奈子

（＊イラスト）　ALN日本　表紙
私（レズビアン）は女ではないというのか　フェミニスト宣言に向けて　敦賀美奈子　2～5
逝ってしまった彼女に　月森　銀　6～9
レズビアン用語の基礎知識　そのⅢ
レズビアン用語の基礎知識編集グループ　10～13

第2回ＡＬＮ会議準備会レポート⑨　沢田　14
アジアのレズビアンに会いたいからというだけのＡＬＮ会議準備会にいたるまでの個人的経緯とTシャツ販売まで　〔沢田〕　15
タイのTさんのこと　ふる　16
レズビアンへの道③　ゴマ　17
「有料伝言板」について　葉月いなほ　18
運営会議リポート　7月7日（日）　つるが（まとめ）　18
〔お知らせ〕文通欄&有料伝言板　19
〔お知らせ〕　裏表紙

第53号　1991年8月30日発行　〔責任編集〕川原カリド

自分で決めるセクシャリティ　町野美和　2〜5
男が女を支配する異性愛　女帝エカテリーナの場合　不明　3〜5
私のカムアウトとＬＥＰＪ発足
横浜Ｐ（「婦人通信」234号、1991年8月号より）　6
〔お知らせ〕Lesbian Love Signs　さわだみのり　7
月森銀の自己史すごろく　月森銀　8〜9
カミユのひとりごと　Albert Camus　10〜11
〔お知らせ〕テルマ&ルイーズ　11
気まぐれ連載第二部①　失われた自己を求めて　敦賀美奈子　12
第2回ＡＬＮ会議準備会レポート⑩　13
〔お知らせ〕　14
〔お知らせ〕9月のカレンダー　裏表紙

第54号　1991年9月30日発行　〔責任編集〕小川

（＊イラスト）　キムコ　表紙
ひとりで暮らしているレズビアン　第2弾　小川みほ　2〜9
自分と遊ぶ　葉月いなほ　10
〔お知らせ〕　11

編集後記というより有料伝言板につい思うこと　小川　みほ　11
第2回ALN会議準備会レポート⑪　いなほ　12
レズビアンの選択、レズビアンの心　美思＝Mei Tze／いなほ（訳）　13
〔お知らせ〕　13～15
〔お知らせ〕10月のカレンダー　裏表紙

第55号　1991年10月28日発行

〔責任編集〕高橋恵／まきはら
（＊イラスト）　月森　銀　表紙
多様性からアイデンティティを育む　フレッド／高橋恵　1～4
ヘテロ頭で考えるレズビアンと社会生活　アイ　5
だいくまんが翻訳募集　6
初めてのウィークエンドに参加して　奈良内なるさ　7
（＊詩）〔短い文章を書こう……〕　朝風　ゆう　8
第25回ダイクウィークエンド　アンケート集計結果「広げようネットワーク　語ろう自分史　そしてOpen The Heart」　FUMI　9～10
あるときは男役、ある時は母　どちらも女の愛　さぷほ　11～13
はじめまして　Y・O　14
第2回ALN会議準備会レポート⑫　15
さわだみのりの歌声によせて　菊池かおり　16
〔お知らせ〕　17～18
〔お知らせ〕11月のカレンダー／〔編集後記〕　小川　みほ　裏表紙

第56号　1991年11月30日発行

〔責任編集〕いなほ／キムコ／アリス／野良
（＊イラスト）　野　良　表紙
れ組通信50号記念アンケート　結果レポート　1～5
れスタについて　いなかふる　6
アンケートの結果を読んで　いなほ　6
一人暮らしの楽しみ方　元気を出して欲しいR

さんへ　さぷほ　7～8
（＊詩）ばら色の人生　さぷほ　8
母と私　野　良　9～10
アジア人レズビアン会議に向けて　麻川まり子　11～14
あじあ・れずびあん・ねっとわーくまつり・分科会の報告　ふ　る　15
第2回ALNまつり（会議）準備会レポート⑬　いなほ　16
運営会議レポート　11月10日（日）　いなほ　16
〔お知らせ〕お知らせ　17～18
〔お知らせ〕12月のカレンダー／編集後記　いなほ／キムコ／MY HOME アリス　裏表紙

第57号　1991年12月20日発行

〔責任編集〕いなほ／キムコ／アリス／野良
（＊イラスト）　Michiko　表紙
東北特集
ひとりぼっちの♀♀へ……　MIE　2～4
わたしがわたしに　みちこ　5～6
（＊イラスト）　Rim　6
東北合宿でお会いした皆様へ　土手かぼちゃ　7～8
NOSO流「寄り合いクラブ」報告記　NOSO　8～10
91 東北あそんでっ会の思い出　タラコ　10～11
一九九一年、夏休みの旅　ルウシップ　11
夏へのお便り……　子古都　12
みなみのくにから　ロンドン・キング　12～13
東北合宿　あとがきにかえて　KAN　13～14
遊ぶことはいいことだ！　カリド　15
わたしには夢がある　パット・パーカー／カリド&つるが（訳）　16
フォーラムまつりに参加して　世里　愁　17
編集後記　敦賀美奈子　17
〔お知らせ〕　18～19
〔お知らせ〕カレンダー　裏表紙

第58号　1992年1月20日発行

〔責任編集〕川原カリド

（＊イラスト）　茶々丸　表紙
初夢対談　正気をたもつための苦闘を乗り越えて　町野　美和　2～5
さようなら、女役の女達　さ ぷ ほ　5～7
街で出会ったMちゃん　奈良内なるさ　8～11
『自分を語る』　麦　12～13
失恋しました　月森　銀　14
アジアレズビアン会議に向けて（後編）　麻川まり子　15～16
〔お知らせ〕　17～18
第２回ＡＬＮまつり準備会レポート　まきはら　18
（＊詩）私たちの財産　レズビアンのエネルギーの泉　ふ　る　18
〔お知らせ〕『れ組通信』文通欄＆有料伝言板　19
〔お知らせ〕Ｒ.Ｓ.Ｔ.カレンダー　裏表紙

第59号　**1992年2月15日発行**

〔責任編集〕月森／敦賀

（＊イラスト）　か ず こ　表紙
失われた母を求めて　レズビアンになった娘たちが語る母　月森銀／敦賀美奈子　2～5
ピエタ（聖母子像）の実態　老母が抱える大きなダメ息子　町野　美和　6～7
（＊詩）よう子さん　ふ　る　8
本おたくのつるちゃんが選んだ「母と娘」の本　〔敦賀美奈子〕　9
嗚呼!!　コミュニティ・マザー　月森　銀　10～11
〔会員賀状〕　12
日本に来るフィリピーナたち　Ｍ・モニカ　13
じゅううぐんいあんふ??　Camp Followers Comfort Women　ひ ろ こ　14～15
〔お知らせ〕　16～19
第２回ＡＬＮまつり準備会レポート　1／19（日）午後　い な ほ　17
〔お知らせ〕Ｒ.Ｓ.Ｔ.カレンダー　裏表紙

第60号　1992年3月20日発行

〔責任編集〕敦賀美奈子
（＊イラスト）　月森　銀　表紙
はばたけ・ALN前夜祭　月森　銀　2〜3
ALN（アジア・レズビアン・ネットワーク）前夜祭　プログラム　4
前夜祭の極私的感想　敦賀美奈子　4〜5
（＊詩）わたしたちはレズビアン　さぷほ（作詞）／くじら（作曲）　5
（＊詩）恋人よ　さぷほ（作詞）／くじら（作曲）　5
女性愛宣言者　アジア女性会議セクシュアリティ分科会のための覚え書き　川原カリド　6〜7
『れ組通信』バックナンバー（No.48〜59）　8〜9
発送あれやこれや　格子　たい　10〜11
気まぐれ連載第二部②　失われた自己を求めて　敦賀美奈子　12
ALNミーティング報告　キムコ（まとめ）　13〜14
〔お知らせ〕『れ組通信』文通欄＆有料伝言板　15
〔お知らせ〕R．S．T．カレンダー　裏表紙

第61号　1992年4月25日発行

〔責任編集〕敦賀美奈子
（＊イラスト）　かずこ　表紙
ファインダーからのぞいたALN前夜祭の実況報告　奈良内なるさ　2〜3
ALN前夜祭に参加して　朝風　ゆん　4〜5
あなたにとってALN前夜祭とは　奈良内なるさ（まとめ）　6〜10
ALN前夜祭の会計報告　奈良内なるさ　10
コミュニティに関わってあっという間に、ALN前夜祭からALNへ。　奈良内なるさ　11〜12
前夜祭の反省会をやりました　ふ　る　13
アジア人・アイデンティティをさがして……
いってらっしゃい（ボン・ボワイヤージュ）、私の魂の姉妹たち　月森　銀　14〜15
（＊詩）夢の中の風景　さ　ぷ　ほ　16〜17
ALNミーティング報告　ささゆきこ　18
れ組スタジオ会計報告（91年4月1日〜92年3　キムコ／いなほ　19〜21

月31日）　カリド　22
〔お知らせ〕『れ組通信』文通欄&有料伝言板　23
編集後記　敦賀美奈子　23
〔お知らせ〕R.S.T.カレンダー　裏表紙

第62号　１９９２年５月31日発行

〔責任編集〕　敦賀美奈子
（＊イラスト）　RiN　表紙
月森銀のそれゆけALN Part１　私的レポートALN体験記　月森　銀　２〜３
第２回アジアレズビアンのあつまりで楽しかったこと　ゆきみ　４〜６
全体会で討議されたALNの目的・声明文（案）　６
ALN事務局について　ふる　７
ALNスタッフ有志の感想から（1）　カリド　８〜９
メディアにおけるレズビアニズム　十代の美しい恋愛とその問題点　蓮　華　10〜11
聖家族・バルセロナの夏　星谷ななほ　12〜13
読者としていわせてよ　成年失格者　14
「れ組」について思うこと　小浜　登子　15〜16
危機に直面したアリス　後継者求む！　ワカメ　17
〔お知らせ〕神奈川江ノ島合宿のお知らせ／東海からのお知らせ　18
〔お知らせ〕『れ組通信』文通欄&有料伝言板　19
〔お知らせ〕R.S.T.カレンダー　裏表紙

第63号　１９９２年６月22日発行

〔責任編集〕敦賀美奈子／町野美和
（＊イラスト）　砂　月　表紙
在日韓国人の立場で感じたこと　朴　美佐子　２〜３
ALNを通して見えてきたこと　月森　銀　４〜６
92東北・夏の合宿　参加者募集!!　６
自らの痛みを通して連帯したい　町野　美和　７〜９
ALNスタッフ有志の感想から（2）　カリド　10〜11
ALN、ありがとう！　小浜　登子　12

〔ALN日本＝アジア・レズビアン・ネットワーク日本スタッフ一同〕　13
ALNの目的　14
〔お知らせ〕ALN祭報告とALN事務局設立会議へのお誘い　15
「消去」を破るアジアのレズビアン　アジア女性会議「セクシュアリティ」分科会（1992年4月3日）が、明らかにしたこと　アジア女性会議報告書パート1より　大沢　真理　16〜18
私は石でもスーパーウーマンでもありません（アジア女性会議に参加して）　敦賀美奈子　19
〔お知らせ〕東海コミュニティでニュースレター発行　20
（＊詩）LOVING YOU YUMIEに捧ぐ……　ITOE　21
No62の成年失格者さんへ　小浜　登子　22
〔お知らせ〕『れ組通信』文通欄&有料伝言板　23
編集後記　敦　賀　裏表紙
〔お知らせ〕R.S.T.カレンダー　裏表紙

第64号　1992年7月26日発行

〔責任編集〕敦賀美奈子／町野美和

（＊イラスト）　キ　ム　コ　表紙
月森銀のそれゆけALN　Part2　私的レポートALN体験記　月森　銀　2〜3
第二回ALNまつり（会議）を終えて　その1　葉月いなほ　4〜7
アジア人レズビアンとして（前編）　麻川まり子　8〜10
第2回ALN会議声明文（全）　11
私が施設職員になった理由　ささゆきこ　12〜13
女は度胸　退職金請求（奪取）物語　敦賀美奈子　14〜15
あなたの腕を見なさい　ささゆきこ　16
（＊詩）愛しい女よ　ITOEに捧ぐ……　YUMIE　16
ありがとう……私の愛するみなさまへ……！　伊藤　昌子　17
YOUNG LUST 成年失格者　TMN　18〜19
ウィークエンドNEWS　特別配布号NO.1　決定、本年度関西ウィークエンド　1992

10月9（金）10（土・祭）11（日）！ 20～21
投稿 M.Sさんより62.63感想文です。 M・S 22
〔お知らせ〕『れ組通信』文通欄&有料伝言板 23
〔お知らせ〕R.S.T.カレンダー 裏表紙

第65号 1992年8月30日発行

〔責任編集〕つるかり本舗

（*イラスト） 月 森 表紙
6.28 ALN報告会リポート ALNで決まったこととその経過 つるが／カリド 2～7
意見交換会報告集作成中！ 8～9
第二回ALNまつり（会議）を終えて その2 葉月いなほ 10～11
アジア人レズビアンとして（後編） 麻川まり子 12
グループの神話 涼 13～15
カタイ話もクライ話も抜きにして あっさりタッチの「うちあけ話」 伊藤 昌子 16～17
大学は出たけれど 敦賀美奈子 18
〔お知らせ〕『れ組通信』文通欄&有料伝言板／第3回・愛知W.E.開催 19
〔お知らせ〕R.S.T.カレンダー 裏表紙

第66号 1992年9月30日発行

〔責任編集〕敦賀美奈子

（*イラスト） 川 原 表紙
あなた自身の生（性）を救うのは 敦賀美奈子 2～3
第二回ALNまつり（会議）を終えて その3 葉月いなほ 4～5
LALAに参加して つるが 6～7
フェスティバル・バージン アリス 8～10
「れスタ」は会員／購読者自身が作っていくレズビアン・コミュニティです 敦賀美奈子 11
大学は出たけれど 敦賀美奈子 12～13
〔お知らせ〕『れ組通信』文通欄&有料伝言板 14
〔お知らせ〕東海コミュニティ情報 15
編集後記 敦賀 15
〔お知らせ〕R.S.T.カレンダー 裏表紙

第67号　１９９２年10月25日発行

〔責任編集〕敦賀美奈子
（＊イラスト）　しょうちゃん（しぃちゃん）　表紙
レズビアン探偵、活躍中　秋の新刊紹介　つるがみなこ　2～4
アメリカだより　アリス　5
第二回ALNまつり（会議）を終えて　その4　葉月いなほ　6～8
「れ組通信63号」を通して考えるALNの意義
１９９２年7月19日意見交換会報告集　敦賀美奈子　9
からだ＝わたし　さきゆきこ　10～11
収容所日記（入所の巻）　敦賀美奈子　12
CRを体験してみませんか？　13
〔お知らせ〕『れ組通信』文通欄＆有料伝言板　14
編集後記　つるが　14
ウィークエンドのお知らせ　15
〔お知らせ〕R.S.T.カレンダー　裏表紙

第68号　１９９２年11月30日発行

〔責任編集〕敦賀
〔特集編集〕KAN
（＊イラスト）　KAN　表紙
第1部　東北・夏の合宿リポート　8.14～16
三陸海岸にて　（KAN）　2～5
三陸海の東北合宿　NOSO　5～6
東北合宿は居心地がいいぞ！　菊地朱実　7～8
素晴らしい仲間たちとの出逢いに感謝を込めて　伊藤昌子　9～10
ひとりでいきてくなんて……　石崎秋子　10
なつかしの東北合宿　１９９２・8・14～16
三陸にて　月森銀　11～12
第2部　東北なんじゃもんじゃリポート
とぴっくニュース　東北の、とある1日……雨と突風の中の芋の子会!!　（KAN）　13～18
　　16
〔お知らせ〕第2回東北・冬の合宿／神奈川江ノ島合宿のお知らせ　19

「同じ痛み」と「違う痛み」　池田　あい　20〜21
新刊紹介　21
収容所日記（行事の巻）　敦賀美奈子　22
〔お知らせ〕『れ組通信』文通欄&有料伝言板　23
編集後記　つるがみなこ　裏表紙
〔お知らせ〕R.S.T.カレンダー　裏表紙

第69号　1992年12月21日発行

〔責任編集〕ゴマユキ企画
（＊イラスト）　しぃちゃん　表紙
変化 Changes（リリアン・フェイダーマン、インタヴュー）　敦　賀　2〜5
レズビアンへの道　再びヨーロッパに行くことになって想い出した……　川原カリド　6〜8
〔お知らせ〕第2回東北・冬の合宿　8
外からながめるだけなら、失うこともできないっ……　成年失格者　9
CRIMSON　No.1　成年失格者　10
今年は実家に帰りません！　敦賀美奈子　11
第3回東海レズビアンW.E.で起こったこと　月森　銀　12〜13
〔お知らせ〕『れ組通信』文通欄&有料伝言板　14
〔お知らせ〕　15
編集後記　つ　る　が　裏表紙
〔お知らせ〕R.S.T.カレンダー　裏表紙

第70号　1993年1月25日発行

〔責任編集〕ゴマユキ企画
（＊イラスト）　カ　リ　ド　表　紙
ゴマユキヨーロッパ珍道中　つるカリ本舗　2〜6
この名付けられぬもの　男役（タチ）　さ　ぷ　ほ　7〜9
選びとったセクシュアリティ　池田　あい　10〜11
男嫌いだからレズビアンなのか⁉　町野　美和　12〜13
〔お知らせ〕　14
〔お知らせ〕東海レズビアンニュースレター第3号発行!!　15
曙まつりのご案内　16
〔お知らせ〕『れ組通信』文通欄&有料伝言板　17

〔お知らせ〕R．S．T．カレンダー　裏表紙

第71号　１９９３年2月28日発行

〔責任編集〕つるかり本舗

（＊イラスト）　カ　リ　ド　表　紙

ゴマユキヨーロッパ珍道中（その2）　つるカリ本舗　2～4

全国のレズビアン・マザーへ　K　・　A　5～7

〔お知らせ〕　7

母の愛　池田　あい　8～9

（＊マンガ）月森とその両親　その1「エイズ特集」／その2「お正月」　月森　銀　10

ALNの未来に向けて　はしもとのぶこ　11～13

（＊詩）竹　み　え　こ　14

生きぬいて教え学ぶこと　つ　る　が　15

愛しすぎる女達を愛しすぎた私　小浜　登子　16～17

〔お知らせ〕『れ組通信』文通欄＆有料伝言板　18

第31回ダイクウィークエンドのお知らせ　19

編集後記　敦賀美奈子　裏表紙

〔お知らせ〕R．S．T．カレンダー　裏表紙

第72号　１９９３年3月29日発行

〔責任編集〕敦賀美奈子

『れ組通信』バックナンバー（No.60～70）　表　紙

「れ組スタジオ」の明日はあなたがつくる　敦賀美奈子　2～6

母のこと　く　じ　ら　7～8

走ること、生きること　さ　ぷ　ほ　9～13

続・愛しすぎる女達を愛しすぎた私　小浜　登子　14～15

セパレイティズムとノンモノガミーについて考える会、第1回開かれる　さ　ぷ　ほ　16～17

〔お知らせ〕『れ組通信』文通欄＆有料伝言板　18

〔お知らせ〕R．S．T．カレンダー　19

バックナンバー　裏表紙

第73号　１９９３年4月25日発行

〔責任編集〕敦賀美奈子

（＊イラスト） しろ 表紙
光輝くレズビアンへ 町野 美和 2～4
〔桜が終り、若葉の美しい季節を迎えようとしています……〕 夏樹 冴 5～6
お知らせ 智は力、勉強しよう 6
東海コミュニティ情報 第3回東海WEで起こったこと その後 月森 銀 7
高円寺に春が来た!! アリス 8
走ること、生きること みえこ 8～9
年を取るってすばらしい みえこ（作詞） 9
お嫁なんかにいかないで つかこうへい（作詞） 10
続々・愛しすぎる女達を愛しすぎた私 小浜 登子 10～12
「愛しすぎる女」の失恋物語 Chako・N 13～16
（＊詩）赤と青 r・i 16
〔お知らせ〕 17
「れ組スタジオ東京」活動報告（1992年4月～1993年3月） 敦賀美奈子 18
れ組スタジオ会計報告（91年4月1日～92年3月31日） カリド 19
〔お知らせ〕『れ組通信』文通欄＆有料伝言板 20～21

第74号 1993年5月31日発行

〔責任編集〕川原カリド

（＊イラスト） しぃちゃん 表紙
スザンヌさんへのインタビュー カリド 2～8
オーストラリア便り MAROU 9
植民地主義の二つの症例 大沢 真理 10～11
第2回ALNまつり報告書原稿募集中 12
揚げた青トマトと苦情 Carolyn Gage/カオル 13～16
（＊詩）寒さに慣れだした頃 Gene 13～16
れスタってやっぱ必要よね 登子 17
W・Eでワークショップ〝自営業をしているレズビアン〟を主催して 池田 あい 18
〔お知らせ〕'93東北・夏の合宿参加者募集!!／れ組ハイクTO宝塚花組 19～21

第75号　１９９３年６月28日発行

〔責任編集〕まちのゴマ
（＊イラスト）　茶々丸　表紙
性的自己決定権の確立を！　れ組スタジオ総会&ミーティングで決まったこと　敦賀美奈子　2～3
『まな板の上の恋』出雲まろう著（宝島社）を読んで　カリド　4
第２回ＡＬＮ会議であった在日参加者差別に対する日本人である私の対応の変化　朝風ゆん　5～8
〔第２回ＡＬＮまつりにおいて……〕　種まき人　9
〔お知らせ〕宝塚歌劇の切符の買い方／れ組宝塚ハイク（７月もやります！）　9
１９９５年９月、北京で会おう！　天安門広場をラベンダーカラーで埋めつくそう!!　大沢真理　10
マサカのゴセイコン　町野美和　11～13
親との関係性　世里愁　14～15
１９９３年度関西ウィークエンドのお知らせ　15
カムアウトして二カ月経過　今思うこと　レズビアンのための教育事業財団をつくりたい　ＪＵＮＫＯ　16～17
93東北・夏の合宿参加者募集!!　17
〔お知らせ〕第１回九州ウィークエンドのお知らせ　18～21
カレンダー　裏表紙

資料４

『女たちのエイズ問題　わたしたちはなぜ反対したのか？』

発行＝エイズ予防案に反対する女たちの会

１９８９年11月25日

はじめに　エイズ予防法案を廃案にする女たちの会　2
反対声明「エイズ予防法案を廃案に！」　エイズ予防法案を廃案にする女たちの会　3～4
経過報告　中村早苗（まとめ）　5～9
誰の人権？　誰の自由？　竹岡八重子　10～13

〝性病〟と売買舜問題　高橋喜久江　14
エイズ予防には役立たない「エイズ予防法」　丸本百合子　15〜17
法ができても薬ができても性病はなくならない　白部　貴子　17
優生思想　ピンクの三角　ファシズムはそよ風にのって　大山千恵子　18〜20
「売春」した女だけがなぜ!!　原田恵理子　20
エイズはひとごとではない　矢口　敦子　21〜22
オモチャではないけれど　矢口　調　22〜23
「ひとのセックス、ゴチャゴチャいうな!」　中野　冬美　24〜25
レズビアン＝女の立場から　葉月いなほ　26〜28
短期決戦型エイズ予防法案反対闘争に参加して　R　I　N　29〜31
具体的な予防法示す　規制や管理には反対　ロレイン・シーガル（『社会新報』1989年9月22日付）　愛　31
エイズ問題があぶり出したもの　女にとってのエイズ　石塚　友子　32〜35
エイズ予防法は「第二の優生保護法」だ　堤　愛子　36〜41
座談会　予防法反対運動から視えたもの　葉月いなほ（まとめ）　42〜53
エイズ予防法案に反対しよう!　エイズは「天罰」でも「一部の人々の問題」でもありません!!　54
エイズ予防法案に反対する大阪連絡会のちらし　55
緊急声明「エイズ予防法案」を廃案に!　エイズ予防法案を廃案にする女たちの会　56
性行為感染症予防法案（抜粋）　57
抗議書　エイズ予防法案を廃案にする女たちの会　58〜59
衆議院社会労働委員会議事録より（要旨）　葉　月　61〜62
参議院社会労働委員会議事録より（要旨）　堤　62〜64
〔新聞記事見出し〕　65
エイズ対策大綱を決定　感染症の入国制限へ法改正（『朝日新聞』夕刊、1987年2月24日付）　66
エイズ外人の入国拒否　多数への感染危険者に限定（『朝日新聞』1987年3月26日付）　67

ホモや風俗産業女性ら対象　エイズ、全国調査（『朝日新聞』１９８８年5月8日付）　68
同性愛者の立場から「エイズ法」反対集会（『社会新報』１９８８年6月24日付）　69
エイズ　広域感染の恐れ　関西の売春あっせん業者が発症　女性数十人と関係（『朝日新聞』１９８８年5月12日付）　69
エイズ妄想殺人の主婦、求刑へ〝症状〟重なり罪悪感　社会に広がる「感染不安」（『朝日新聞』１９８８年6月2日付）　70
きょうエイズ法案反対デモ「潜在化を助長する」同性愛者も初参加（『朝日新聞』１９８８年7月10日付）　71
エイズ母子感染の予防へ　厚生省が指針作成（『朝日新聞』１９８８年9月29日付）　71
「私はエイズ」名乗り始めた患者たち（『朝日新聞』１９８８年7月14日付）　72
エイズ感染　国を提訴へ（『朝日新聞』１９８９年5月3日付）　73
感染者届け出義務づけ「エイズ予防法」成立（『毎日新聞』１９８９年12月24日付）　73
エイズ予防法　74〜75
売春防止法　77
性病予防法　76
優生保護法（抄）　78
へんしゅう後記
矢口調／中村早苗／よこやま丸め／堤愛子／石塚友子／葉月いなほ　79

資料5

『第一回ALN会議報告集　はばたけ！アジアのれずびあん』

発行＝ALN日本
１９９１年11月22日

はじめに
ALN日本第一回ALN会議報告集作成グループ　2
タイ・グループからの呼びかけ
ALNバンコク会議速報「92年5月に東京で　3

また会いましょう！」　高橋　恵　4〜5
第一回ＡＬＮ会議で行われたこと　5
Ⅰ．各国の報告
①タイ　ＲＩＮ（訳）　6
②インド・ボンベイ　つづらよしこ（訳）　7〜9
③インド・ニューデリー　高本理恵（訳）　10〜14
④フィリピン　アリス（訳）　15
⑤バングラデシュ
矢口調（訳）／山本みきこ（訳）／まきはらみか（訳）　16〜25
⑥オーストラリア　ふる（訳）　26〜28
⑦イギリス　さぷほ（訳）　29〜31
⑧日本　葉月いなほ（まとめ）　32〜34
Ⅱ．分科会報告Ａ　何を優先課題にするか
アジアに住むアジア系レズビアン
まきはら（訳）　35〜37
アジア外に住むアジア系レズビアン
フレッド（まとめ）　38
Ⅱ．分科会報告Ｂ　グループを作るには
望月しのぶ（まとめ）　39〜41
Ⅱ．分科会報告Ｃ　レズビアンと家族
原みなこ（訳、まとめ）　42〜44
Ⅲ．全体会の報告　ＡＬＮの未来
フレッド（まとめ）／高橋恵（訳、まとめ）　45〜51
Ⅳ．日本からの参加者
実り多いアジア会議　望月しのぶ　52〜53
タイで学んだこと　アリス　54
出会いの中から　円　千里　55〜56
アイデンティティをさがして　P．D．　56〜57
レズビアン会議に参加して　さぷほ　58
どこにでもいる、たくましい♀♀は!!
ちさこ　59〜60
わくわく・ドキドキ　タイへの旅　葉月いなほ　60〜62
編集後記　葉月いなほ（まとめ）　63

資料6
『すばらしい女たち　レスビアンの女たちから全ての女たちにおくる雑誌』
発行＝「すばらしい女たち」編集グループ
1976年11月

（＊イラスト）　白楽雀　表紙
雑誌の発刊にあたって　1
この雑誌を作った女たち　2〜3
（＊イラスト）〔憤怒の女性〕　4
もくじ　5
座談会　れずびあん　おおいに語る。〔匿名、17名。うち外国人4名〕　6〜32
（＊イラスト）れずびあん　ふぇみにずむ　Ｈｏｎｄａ　33
私の中のリブへの芽生え　岩田　由美　34〜35
私の大好きなウルフ　本田　則子　36〜41
（＊詩）凍幻　田部井京子　42〜43
わたしの歩いてきた道　田部井京子　44〜48
メモランダム　はらだようこ　49
（＊詩）火曜日のブルース　本田　則子　50〜51
どこまで行こう　かわはら狩戸　52〜55
転換期　Geri Stein　56〜57
レズビアン　この女たちはなにものダ？　バーバラ・リー・バーバラ／はざま夏（訳）　58〜61
Lesbian; Who are these women?　B. L. B.　62〜65
声　レズビアン向けアンケートから　66〜67
井戸端ジャーナル　／読書コーナー／告知版／ＨＯＴ・ホットニュース　68〜71
編集後記　I／Y・H／N・H／O／S・G／麻川／T　72〜72

資料7

『すばらしい女たち別冊〈レスビアンに関するアンケート〉集計とレポート』

発行＝「すばらしい女たち」編集グループ
１９７６年11月

今ちょっと思うこと　アンケートへの疑問　麻川まりこ　1〜2
みんなで雑誌をつくってみた……。　河原　狩戸　3〜4
レズビアン向けアンケート集計　5〜8
対象無差別アンケート　問いとこたえ　9〜13

資料8

『ザ・ダイク』第1号・第2号

発行＝まいにち大工
１９７８年1月・6月

第1号　１９７８年1日発行

「まいにち大工」の紹介と方針　2
闘う女たちへ　織田　道子　3
解放への理論的こころみ　わたし自身の創刊の辞　田部井京子　4〜5
催しもの・集会情報　5
「レズビアン宣言」（上）ラディカルレズビアン　飛田悠子・岩田由美（訳）　6〜7
かえうた　犬のお巡りさんの節で　織田・田部井　7
レズビアン考　性の認否を考える　一　休　7〜8
おすすめ本など　8
池田理代子の『クロディーヌ』考　比　命　9

新聞記事から　自殺・心中　本田　則子　10
青春前記　幸村　真矢　11
おんな・レズビアン・車イス　一　休　12〜15
表紙写真について　本田　則子　15
編集後記　15

第2号　1978年6月発行

（＊写真）自由へのレズビアン闘争（アメリカのレズビアンの記）　表紙
女の場・本の店　2
私の少年　紅吉譚　本田　則子　3〜6
らいてうのこと　比　命　7〜8
逢ったあと　田村とし子　9
〔広告〕「ひかりぐるま　爽やかで力強いすべての女たちへ」創刊号　9
集まろう!!　女のパーティ　岩田　由美　10〜11
「まいにち大工」の方針　11
一・二八集会手前みそレポート　田部井京子　12〜13
レズビアン宣言（下）　ラディカルレズビアン
ことば　フェミニスト　岩田由美（訳）　14〜16
マロの観劇記　G線上　夢の草かんむり　三日　16
間通いっぱなし　本田　則子　17
比命のマンガ論　その二　メタモルフォーゼ譚
大島弓子の世界　比　命　18〜19
生活　化粧品シリーズその1　19
読者から　田　20〜21
ポッとニュース　22〜23
編集後記
比命／岩田由美／幸村真矢／織田道子／一休希
夢子／田部井京子　24

資料9

『ひかりぐるま』

創刊特別号 vol.1・秋季号 vol.2

発行＝ひかりぐるま
1978年4月・9月

創刊特別号 vol.1　1978年4月5日発行

レズビアン宣言'78　拡散から収束へ　三つのひかりぐるま　2〜3
ひかりぐるまを探して　公務員S　4〜5
けじめちゃんの人生相談　6
女のれんしゅう問題　6
世界からの風「ハイト・レポート」の翻訳をめぐって　6
星占い　7
HOTインフォメーション　7
〔4月のカレンダー〕　8
編集後記　スタッフ一同　8

秋季号 vol.2　1978年9月1日発行

凸凹をこえて　性役割の罠　三つのひかりぐるま　2〜3
ひかりぐるまを探して　文筆業Q　4〜5
けじめちゃんの人生相談　6
HOTインフォメーション　6
世界からの風　7
〔クロスワードパズル〕　8
編集後記　スタッフ一同　8

資料10

『レズビアン通信』〔麗頭美庵通信〕

第1号・第2号

発行＝シスターフッドの会
1982年9月・10月

第1号　1982年9月15日発行

ひとり言　野中　路子　1〜3

レズビアン通信　水川　羊子　3
まず私の体から　水川　羊子　4
レズビアンは不自然か？　奥村　葉子　5〜6

第2号　1982年10月17日発行

右傾化・騒音・自衛隊　水野　笙子　1〜2
食らう　野中　路子　1〜2
アダムの肋骨からでなく　水川　羊子　1〜2
魂ってなにかな？　藤崎　真黒　2

資料11
『Ｅｖｅ＆Ｅｖｅ』第1号
発行＝若草の会
1982年8月5日

創刊のことば　鈴木　道子　2〜3
インタビューコーナー
小林美也子／松井はるみ／江田京子／田村由紀／青木紀子／戸川朱美／日吉玲子・深見佳子／島村マリ・坂井恵子／本間なつき・大井則子　小野　れい（インタヴュー）　4〜71
〔お知らせ〕モデルぼしゅう　54
〔お知らせ〕Ｅｖｅ＆Ｅｖｅだより　72
愛でブラジル（劇画）　中川　美樹　73〜93
〔お知らせ〕若草の会　94
イヴにおくる三つの愛
ロング・ロング・アゴー／水の劇場／兎の記念日　山口　森央　95〜111
２９９９ねん　高峰　美雪　112〜115
別れても好きな人　セーラム・ライト　116〜120
思い出　小笠原　藍　121〜125
孤舟　元高　葉子　126〜136
銭湯はいいな　小笠原　藍　137
本の話あれこれ
私がすすめる本／本の紹介　砂都　美　138〜145
私の感想①　小笠原　藍　146〜147
私の感想②　砂都　美　147

BOOK LIST 148～149
手紙　森　冬美 150～153
要石　小笠原　藍 154
Hell Cat　咲坂　峡子 155～158
港の風景　森　冬美 159～163
かかいも　小笠原藍／森冬美 164～165
逆風　小笠原　藍 166～186
送春歌　森　冬美 187～190
イヴ通信 191～196
〔お知らせ〕文通覧利用の皆さんへ 197～198
〔広告〕 199～200

資料15

『声なき叫び』

発行＝「声なき叫び」上映グループ
1982年〔11月〕

日本における「声なき叫び」の上映をよろこび　高野　悦子 1
〔感想〕本田房子／高橋喜久江／久野綾子／吉田幸子／半田たつ子／北村節子／林冬子／富重圭以子／K・N 1～2
「声なき叫び」上映にあたって　「声なき叫び」上映グループ 1～2
強姦は暴力ととらえるべきもの　河野貴代美 3～4
〔強姦にまつわる作り話〕 4
強姦　この甘やかされてきた犯罪　産婦人科医の立場から　椿　法子 5～6
訴えてゆくことは……　弁護士の立場から　大谷　恭子 7～8

強姦はロマンチッククラブが変装を脱ぎ捨てた姿だ！　レズビアン・フェミニストセンター　9
ポルノは女への暴力だ！　ポルノは理論で強姦はその実践である　L．F．センター　10
ワシントンD．C．の強姦支援センターでは　T．O．N．　11
グループ　けんケンガクがく　13～14
活動報告　七転び八起き　14
にゅうすあらかると　15～16
座談会　なぜスザンヌは死んだのか⁉　駒尺喜美／小西綾／岸野淳子　18～22
奇々怪々　性にまつわる嘘　18
『声なき叫び』　再録シナリオ　「声なき叫び」上映グループ　23～30
「ありがとう」／アタマにきた！　23～23
女たちの映画祭フィルムリスト　女たちの映画祭実行委員会　31
ポルノグラフィティは女への暴力である　織田　道子　187～188

資料17

『瓢駒ライフ　新しい生の様式を求めて』第1号～第7号

発行＝ひょうこま舎
1988年5月～1992年9月

第1号　1988年5月3日発行

（＊写真）　草間　けい　表　紙
はじめに　1
愉快なばあさん　沢部　仁美　2～12
杉田久女とレズビアニズム　松本　泉　13～21
愛の牡丹雪　橋下治（原作）／はたなかえいこ（画）　22～31
まんがの中のホモセクシュアル考　PART1　ひと昔前の少女まんがにおけるレズビアンたち　高橋　瑛子　32～38
久美ちゃんの結婚　草間　けい　39～44
現実性の政治学

編集後記
マリリン・フライ／〔……A……〕（訳） 45〜59
草間／沢部／高橋／松本 60

第2号 1988年8月27日発行

（＊写真） 草間 けい 表紙
はじめに 1
越路吹雪への手紙 松本 泉 2〜8
まんがの中のホモセクシュアル考 PART2
レディースコミックの中で 高橋 瑛子 9〜16
ただ今、現像中 草間 けい 17〜22
ひょう子さんの元気日記 ①結婚はなさらないの？ ②勉強会はみになった？ の巻 草間 けい 23
愉快なばあさん 沢部 仁美 24〜28
愛の牡丹雪
橋下治（原作）／はたなかえいこ（画） 29〜38
手紙 沢部 仁美 39〜49
現実性の政治学（2）
マリリン・フライ／〔……A……〕（訳） 50〜59
編集後記
高橋／松本／草間／沢部 60

第3号 1988年12月25日発行

（＊写真） 草間 けい 表紙
はじめに 1
人見絹江を知っていますか 松本 泉 2〜11
ファッション生態学 草間 けい 12〜19
「ハーヴェイ・ミルク」を観た日 高橋 瑛子 20〜25
情報あれこれ と ま と 26〜28
愛の牡丹雪
橋下治（原作）／はたなかえいこ（画） 29〜36
遠い山羊の国 沢部 仁美 37〜47
現実性の政治学（3）
マリリン・フライ／〔……A……〕（訳） 48〜54
編集後記
高橋瑛子／松本泉／草間けい／沢部仁美 55〜55

第4号　1989年4月30日発行

（＊写真）　草間　けい　表紙
はじめに　1
座談会「海辺のカイン」をめぐって
草間けい／松本泉／沢部仁美／高橋瑛子　2～14
アンケートのお願い　高橋　瑛子　14
ひょう子さんの元気日記　お見合いをまるくおさめる法　草間　けい　15
東京少年よ、どこへ行く　草間　けい　16～22
愛の牡丹雪（最終回）
橋下治（原作）／はたなかえいこ（画）　23～31
遠い山羊の国（連載・その二）　沢部　仁美　32～42
現代新生活事情こぼれ話　松本　泉　43～50
情報あれこれ　とまと　51～53
現実性の政治学（4）
マリリン・フライ／〔……A……〕（訳）　54～60
お願い　瓢駒ライフ編集部一同　61
輝け！第一回　ひょうこま大賞！　62
編集後記
松本泉／高橋瑛子／草間けい／沢部仁美　63

第5号　1989年10月15日

（＊写真）　草間　けい　表　紙
はじめに　1
スコーレ！（乾杯！）　ゲイ・パレード　草間　けい　2～12
輝け！第一回ひょうこま大賞！　13
遠い山羊の国（連載・その二）　沢部　仁美　14～25
〝佐伯かよの〟の世界の姉妹たち　高橋　瑛子　26～33
ひょう子さんの元気日記　共同生活編　草間　けい　34～35
葉っぱのかみさま　西川紀子さん追悼　松本　泉　36～45
風　テーマ・こども　E　46～47
『私は人魚の歌を聞いた』評　〔……A……〕　48～54
編集後記
松本泉／高橋瑛子／草間けい／沢部仁美　55

第6号　1990年6月10日

（＊写真）　草間　けい　表紙
女の美術館　渡辺みえこ（画）　1
〔「女の美術館」解説〕　2
フレンズ（第一回ひょうこま大賞受賞作品）
二本木由実／ももすもも（イラスト）　4〜12
（＊イラスト）戯れのあと（ひょうこま大賞奨励賞）　水無月　怜　13〜14
『神威（カムイ）の星』に寄せて　高橋　瑛子　17〜19
書評　沢部仁美『百合子、ダスヴィダーニヤ　湯浅芳子の青春』　松本　泉　20〜21
現実性の政治学（5）
マリリン・フライ／〔……A……〕（訳）　22〜27
〔お知らせ〕図書館のつどい　湯浅芳子と宮本百合子　27
S郎と池袋　草間　けい　28〜33
思い出の百人一首　松本　泉　34〜37
〔お知らせ〕　37
遠い山羊の国（最終回）　沢部　仁美　38〜44
新刊紹介　樹村みのり著『母親の娘たち』　E　45
〔お知らせ〕　45
「女囚の檻」探検記　味噌セロリ　46〜50
〔お知らせ〕女の子のためのビデオ上映会（お茶会）　51
事実婚の新しい展開　二宮　周平　52〜70
編集後記
草間けい／沢部仁美／高橋瑛子／松本泉　71

第7号　1992年9月20日

（＊写真）　松本　泉子　表紙
（＊詩）戦争案内　女の連作詩
高良留美子／渡辺みえこ／川江一二三／松本泉子　2〜9
夏の午後の夢『1999年の夏休み』分析
二本木由実（含むイラスト）　10〜26
L・comicsあれこれ　まんがの中のホモセクシュアル考　番外編　E・T　27〜37
燃ゆる日　松本　泉子　38〜46
書評　掛札悠子『「レズビアン」である、とい

うこと』　E・T　47〜47
（＊詩）シタールの調べに寄せて　岸　黎子　48〜49
（＊詩）ボルドーにて　岸　黎子　50〜52
（＊イラスト）Dance! Dance! Dance! Dance!　水無月　怜　53〜54
劇評「カムアウト」　松本　泉子　57〜60
それがなんぼのもんや？　セロリ　61
とある宝塚ファンの日記　夢咲　りお　62〜71
ふろく　宝塚関係書籍案内　夢咲　りお　72〜73
詩・無題　S.F.　74
〔お知らせ〕　74〜75
それでも女性愛者（レズビアン）達は生きる、
生き続ける　星谷ななほ　76〜82
編集後記　松本泉／高橋瑛子／二本木由美　83〜83

解説執筆者

杉浦 郁子（すぎうら・いくこ）

1969年生まれ。立教大学社会学部教授。

「日本における性的マイノリティの社会運動」という市民の営みを、ミニコミ誌などのコミュニティ資料や活動家へのインタビューから明らかにすることをめざしている。現在取り組んでいる調査研究は、1970年代から90年代中旬の首都圏におけるレズビアン解放運動の歴史記述と、東北地方における性的マイノリティの運動手法の分析である。

関連する業績として、「『レズビアン・デジタル・アーカイブス』の運営と課題」『和光大学現代人間学部紀要』第17号（2024年３月）、『「地方」と性的マイノリティ』（共著、青弓社、2022年）、「1970年代以降の首都圏におけるレズビアン・コミュニティの形成と変容」『クィア・スタディーズをひらく』第１巻（晃洋書房、2019年）ほか。

性的マイノリティ関係資料シリーズ1
レズビアン雑誌資料集成　別冊
解説・総目次
第3回配本・全2巻・別冊1

編集・解説　杉浦郁子
2024年10月25日　初版第一刷発行

発行者　船橋竜祐
発行所　不二出版　株式会社
〒112-0005
東京都文京区水道2-10-10
電話　03（5981）6704
http://www.fujishuppan.co.jp
組版・印刷・製本／昴印刷
乱丁・落丁はお取り替えいたします。

第3回配本・全2巻・別冊1セット　揃定価50,600円（揃本体46,000円+税10%）
（分売不可）ISBN978-4-8350-8793-1
別冊　ISBN978-4-8350-8796-2

2024 Printed in Japan